KARL JAROŠ

KANAAN · ISRAEL · PALÄSTINA
EIN GANG DURCH DIE GESCHICHTE
DES HEILIGEN LANDES

KULTURGESCHICHTE
DER ANTIKEN WELT

BAND 51

VERLAG PHILIPP VON ZABERN · MAINZ AM RHEIN

KARL JAROŠ

KANAAN · ISRAEL · PALÄSTINA

EIN GANG DURCH DIE GESCHICHTE
DES HEILIGEN LANDES

VERLAG PHILIPP VON ZABERN · MAINZ AM RHEIN

184 Seiten mit 58 Schwarzweißabbildungen

Umschlag: Keulenkopf aus Kupfer, Judäischer Wüstenschatz, Chalkolithikum, 4. Jahrtausend v. Chr., H. 11 cm. Aus Treasures of the Israel Museum Jerusalem, Jerusalem 1985

Die Deutsche Bibliothek — CIP-Einheitsaufnahme
Jaroš, Karl:
Kanaan · Israel · Palästina : ein Gang durch die Geschichte des
Heiligen Landes / Karl Jaroš. — Mainz am Rhein : von Zabern 1992
(Kulturgeschichte der antiken Welt ; Bd. 51)
ISBN 3-8053-1345-4
NE: GT

© 1992 by Verlag Philipp von Zabern, Mainz am Rhein
ISBN 3-8053-1345-4
Satz: Setzerei Hurler GmbH, Notzingen
Alle Rechte, insbesondere das der Übersetzung in fremde Sprachen, vorbehalten. Ohne ausdrückliche Genehmigung des Verlages ist es auch nicht gestattet, dieses Buch oder Teile daraus auf photomechanischem Wege (Photokopie, Mikroskopie) zu vervielfältigen.
Printed in Germany by Philipp von Zabern
Printed on fade resistant and archival quality paper (PH 7 neutral)

INHALTSVERZEICHNIS

Vorwort

Die Idee, eine knappe und übersichtliche Geschichte des Heiligen Landes zu schreiben, geht auf ein Gespräch zurück, das ich im März 1983 mit Herrn Dr. Pierre Casetti und anderen Kollegen in Jerusalem führte. Es wurde damals besonders bemängelt, daß es vor allem für die Praxis kein brauchbares Buch gibt, kein Buch, das z. B. die Entstehung des Christentums ebenso berücksichtigt wie die Religion der Kanaanäer.

Angesichts der Materialfülle und des Zeitraumes mußte vieles wegbleiben und konnten nur die Grundlinien der Geschichte Palästinas skizziert werden. Das Schwergewicht liegt auf der Bronze- und Eisenzeit.

Obwohl jedes Auswahlverfahren natürlich sehr subjektiv ist, hoffe ich dennoch, daß das Buch die notwendigen sachlichen Informationen liefert und auch Anstöße gibt, die eine oder andere Periode mit Hilfe weiterführender Literatur zu studieren.

Das Manuskript stellte ich in einem Rohentwurf bereits im Herbst 1983 fertig, habe es dann schließlich einige Zeit bei meinen Vorlesungen am Institut für Orientalistik der Wiener Universität getestet und ihm schließlich seine endgültige Form gegeben.

Ich hoffe, daß das Buch Studenten der ersten Semester, Erwachsenenbildnern, Religionslehrern sowie allen an der Bibel und am Heiligen Land Interessierten ein kleiner Wegweiser durch die komplexe Geschichte dieser Jahrtausende werden möge.

Herrn Franz Rutzen möchte ich hier ganz besonders danken, daß er mit solch großer Begeisterung dieses Buch in das Verlagsprogramm von Philipp von Zabern aufgenommen hat!

Mit großer Freude widme ich dieses Buch meinen drei Kindern Esther, Sara und Johannes, die mich täglich neu erahnen lassen, wie sich Gottes Wohlwollen für uns Menschen manifestiert.

Pasching, am 1. Oktober 1991   Karl Jaroš

I. Allgemeine Einführung

1. Zu den Namen des Landes

Das Land, dessen Geschichte wir in großen Zügen durchmessen wollen, hat im Verlauf der Zeit verschiedene Namen getragen. Die älteste Bezeichnung ist wahrscheinlich Kanaan, Purpurland. Die Ägypter nannten es Retenu oder auch Haru. Der Name Palästina ist die griechische Form des aramäischen Pelischtaijn und bezeichnete ursprünglich nur das Siedlungsgebiet der Philister in der Küstenebene. Nach dem zweiten jüdischen Aufstand (132–135 n. Chr.) haben die Römer das ganze Land Palästina genannt, und in diesem Sinn ist der Begriff bis heute erhalten geblieben.

Im Alten Testament kann es bereits Land Israel (1 Sam 13,19) genannt werden. Die christlichen Pilger des Altertums sprachen vom Heiligen Land oder vom Gelobten Land, ebenfalls Begriffe, die sich bis heute erhalten haben.

2. Die Landschaften Palästinas
(Abb. 1)

Unter Palästina versteht man den südlichen Teil der syro-palästinischen Landbrücke. Im Westen bildet das Mittelmeer die Grenze. Im Osten bildet die syrisch-arabische Wüste eine natürliche Grenze, ohne daß allerdings eine genaue Linie angegeben werden könnte. Im Norden verläuft die Begrenzung gegen den syrischen Bereich hin auf der Höhe der beiden Flüsse Litani und Jarmuk. Im Süden bildet das Wadi el-Arisch die Grenze, zumindest in späterer Zeit. Für die Eisenzeit mag bereits der Nachal Besor die südliche Grenzlinie gewesen sein. Wenn die Bibel vom „Bach Ägyptens" (Num 34,5, 1 Kön 8,65, Jes 27,12) spricht, dürfte sie darunter den Nachal Besor verstehen.

Das Ostjordanland läßt sich am klarsten nach den vier Flußläufen gliedern. Das Gebiet nördlich des Jarmuk bis hin zum Hermonmassiv und Haurangebirge, eine 500 bis 600 m hohe Ebene, heißt im Alten Testament Baschan (Dtn 3,10, Jes 2,13), heute en-Nuqra. Der aus verwittertem Basaltgestein bestehende Boden ist sehr fruchtbar und wird seit Jahrtausenden landwirtschaftlich genutzt.

Das Gebiet zwischen Jarmuk und dem Nordende des Toten Meeres,

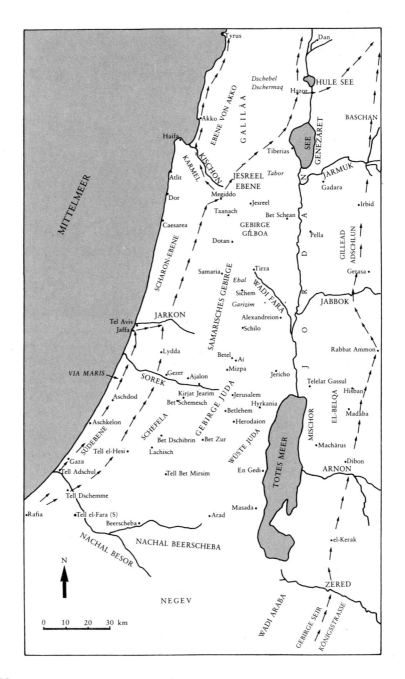

unterbrochen durch den Jabbok heißt in der Bibel Gilead. Ursprünglich haftete dieser Name an einer kleinen Hochebene südlich des Unterlaufs des Jabbok. Heute heißt das bewaldete Gebiet zwischen Jarmuk und Jabbok Adschlun. Es steigt bis 1260 m hoch an. Die Gegend zwischen Jabbok und Arnon, die sich teilweise bis 1000 m erhebt, heißt el-Belqa. Der südliche Teil davon hieß im Alten Testament Mischor (Dtn 3,10, Jos 13,9). Die Landschaft zwischen Arnon und Zered, das Kernland der Moabiter, wird heute nach dem Hauptort el-Kerak benannt. Zwischen Zered und dem Golf von Aqaba liegt das gebirgige Edom, bis zu 1600 m hoch, im Alten Testament Seir genannt (Gen 14,6, Ri 5,4).

Das Westjordanland gliedert sich in Galiläa, die Jesreel-Ebene, das samarische und judäische Gebirge, die Küstenebene und die Bucht von Beerscheba.

Galiläa gliedert sich in Ober- und Untergaliläa. Obergaliläa reicht vom Litani im Norden bis zum Nordende des See Genezaret im Süden. Der Dschebel Dschermaq ist mit seinen 1199 Metern der höchste Berg Palästinas. Untergaliläa fällt nach Süden hin staffelförmig ab. Seine höchste Erhebung, der Tabor (Dschebel et-Tur), erreicht nur mehr 562 m Höhe. Zwischen Untergaliläa und dem Zentralpalästinischen Gebirge liegt eine fruchtbare Alluvialebene, die Jesreel-Ebene (Jos 17,16, Hos 1,5) oder Ebene von Megiddo (Sach 12,11) genannt wird. Arabisch heißt sie Merdsch Ibn Amir. Im Norden wird die Ebene durch das Karmel-Gebirge, im Osten durch das Gebirge Gilboa (Dschebel Fuqua) begrenzt. Gegen den Jordan hin wird das Gebiet vom Nahr Dschalud, gegen das Mittelmeer hin vom Kischon (Nahr el-Muqatta) entwässert. Die Jesreel-Ebene war der klassische Kriegsschauplatz Palästinas im Altertum (Ri 4/5, 1 Kön 23). Auch die eschatologische Schlacht am Ende der Tage wird nach Offb 16,16 hier stattfinden.

Das samarische Gebirge erstreckt sich im Süden etwa bis Betel. Es bildet eigentlich mit dem judäischen Gebirge eine Einheit, wird jedoch aus praktischen und historisch bedingten Gründen davon unterschieden. Im Alten Testament heißt das Gebiet Gebirge Efraim, heute Dschebel Nablus. Der nordwestliche Ausläufer des samarischen Gebirges ist der Karmel (552 m), der nordöstliche das Gebirge Gilboa (518 m). Am Rücken des samarischen Gebirges verläuft die Wasserscheide zwischen Mittelmeer und Jordangraben. Das samarische Gebirge ist gegen Süden hin ansteigend, erreicht jedoch nur etwa 1000 m Höhe. Seine berühmtesten

◁ *Abb. 1   Landschaften Palästinas*

Erhebungen sind der Garizim (Dschebel Abu Ghanem oder Dschebel et-Tur) und Ebal (Dschebel Islamije). Der Garizim erreicht 868 m, der Ebal 938 m Höhe.

Das judäische Gebirge oder Gebirge Juda (der Nordteil heißt arabisch Dschebel el-Quds, d. h. Gebirge von Jerusalem, der Südteil Dschebel el-Chalil, d. h. Gebirge Hebron) erreicht nördlich von Hebron seine höchste Erhebung mit 1028 m und fällt dann rasch gegen Süden hin ab. Gegen Osten hin fällt das Gebirge steil zum Toten Meer ab, zum Gebiet der Wüste Juda, deren größte Oase En Gedi am Westufer des Toten Meeres ist. Gegen Westen fällt das judäische Gebirge in einer starken Verwerfung – gerne als Artuf-Verwerfung bezeichnet (Jerusalem liegt über 800 m hoch, bei Artuf dagegen hat das judäische Gebirge nur mehr eine Höhe von 278 m) – ab und geht in ein Hügelland, die Schefela, über (Dtn 1,7, Ri 1,9). Dann geht das judäische Gebirge nach einer zweiten, aber geringeren Verwerfung in die Küstenebene über. Die Küstenebene ist relativ schmal und besteht aus Schwemmablagerungen der Flüsse wie des Mittelmeeres. Charakteristisch für die Küste sind gewaltige Sanddünen. Die berühmtesten Häfen des Altertums waren Akko und Cäsarea. Heute ist Haifa der bedeutendste Hafen.

Die Küstenebene wird in drei Landstriche geteilt: die Ebene von Akko, zwischen Ras en-Naqura und Karmel, die Scharon-Ebene, zwischen Karmel und Tel Aviv, und die Südebene, zwischen Tel Aviv und Gaza. Heute ist die Küstenebene bedingt durch die Industrialisierung die am stärksten veränderte Landschaft Palästinas.

Die Bucht von Beerscheba: Das judäische Gebirge fällt bis Beerscheba auf 250 m ab. Es beginnt die Südwüste, Negev (Gen 20,1, Jos 15,19). Das Gebiet weist sehr wenige Niederschläge auf. Gegen Osten fällt es scharf zum Wadi el-Araba hin ab. Im Süden geht der Negev in die Isthmus-Wüste zwischen Palästina und Ägypten und in den Sinai über.

Tief eingebettet zwischen Ost- und Westjordanland liegt der Jordangraben. Er ist Teil des syrischen Grabens, der von Nordsyrien ausgeht und weit nach Afrika bis etwa zum Limpopo reicht. Der Jordan entspringt aus mehreren Quellen am West- und Südrand des Hermon. Seine drei Hauptquellflüsse heißen: Hasbani, Banyas und Dan. Nach Vereinigung der drei Quellflüsse durchfließt der Jordan ein sumpfiges Gelände und bildet den ca. 6 km langen Hule-See. Heute ist das Gebiet wie der Hule-See selber trockengelegt. Danach ergießt sich der Jordan in den See Genezaret, der bereits 200 m unter dem Meeresspiegel liegt. Die Länge des Sees beträgt 21 km, seine größte Breite 12 km. Der Salzgehalt des Wassers ist noch so gering, daß man von einem Süßwassersee sprechen kann. Der Jordan durchfließt den See und tritt dann in den eigentlichen Graben, arabisch Gor genannt. Durch seine zahllosen Windungen und seichten Stellen ist der Jordan unschiffbar. Die Jordanufer sind durch waldähnliches Gebüsch bedeckt, sonst ist jedoch der Grabenbruch unfruchtbares Gebiet. Südlich des See Genezaret ist der Graben 3−4 km breit, weitet sich jedoch bei Bet Schean auf 15−20 km aus. Vom Westen kommend durchfließt der Goliat-Fluß das Gebiet. Danach verengt sich der Graben bis auf 2 km. Diese Enge endet bei der Jordanfurt ed-Damye, wo vom Osten her der Jabbok und vom Westen das Wadi Fara in den Jordan münden. Der weitere Teil des Grabens ist bis zu 20 km breit. Charakteristisch für diesen Teil ist die Oase Jericho. Vom Osten her münden das Wadi Schueb, Wadi Kefren und Wadi Hesban, vom Westen her das Wadi el-Odscha, Wadi el-Nuweime und Wadi el-Qelt in den Jordan. Dann mündet der Jordan in das Tote Meer, dessen Länge 85 km und größte Breite 15 km beträgt. Im nördlichen Teil ist das Tote Meer bis zu 400 m tief. Das Wasser des Toten Meeres hat 25% mineralische Bestandteile (Kochsalz und Pottasche) und ist deswegen ohne Lebewesen. Im Alten Testament heißt das Tote Meer entweder Salzmeer (Gen 14,3) oder Grabenmeer (Dtn 3,17). Eine andere Bezeichnung ist Asphaltsee. Der Ausdruck Totes Meer geht auf den Kirchenvater Hieronymus (340/50−419/20) zurück. Der Wasserspiegel des Toten Meeres liegt etwa 390 m unter dem Mittelmeer. Südlich des Toten Meeres setzt sich der Graben im Wadi el-Araba bis zum Golf von Aqaba fort.

II. Die Steinzeit

Nach unserem heutigen Wissensstand beginnt in Palästina die Steinzeit etwa vor 900 000 Jahren und endet ca. 3150 v. Chr. Diese fast 900 000 Jahre »Geschichte« sind grundlegend für die Entwicklung der körperlich-materiellen wie psychisch-geistigen Fähigkeiten des Menschen in diesem Raum geworden. Auch wenn die Menschen dieser langen Zeitspanne keine schriftlichen Denkmäler hinterlassen haben, die es uns gestatten könnten, die Art ihres Denkens, ihre Charaktere differenziert zu verfolgen, so sprechen dennoch ihre materiellen Hinterlassenschaften für sich. Palästina war, seit es dort Menschen gab, eine Brücke zwischen Afrika, Europa und Asien. Die durch die archäologischen Forschungen freigelegten Werkzeuge der Altsteinzeit weisen sowohl nach Afrika und Asien als auch nach Europa. Mit der sogenannten „neolithischen Revolution", der Zeit des Übergangs von der Nahrungssuche zur Nahrungserzeugung, entstanden in Palästina zwei Hauptkulturkreise: der eine ist in den fruchtbaren Gegenden beheimatet, der andere in den Steppengebieten. Gegen Ende der Steinzeit erreichte der Mensch in Palästina bereits die urbane Kultur, wie sie uns am deutlichsten in der „ältesten Stadt der Welt", in Jericho, entgegentritt.

1. DIE ALTSTEINZEIT
(ca. 900 000 – 10 000 v. Chr.   Abb. 2)

1.1 Frühe Altsteinzeit (ca. 900 000 – 75 000 v. Chr.)

Wie auch in anderen Gegenden der Welt teilt sich die frühe Altsteinzeit in die drei Hauptphasen Kieselsteinkulturen, Kulturen der zweiseitig bearbeiteten Geräte und die Tabun-Kultur (Tayacien-Kultur).
In Ubediye südlich des See Genezaret ist eine der ältesten Stätten menschlicher Hinterlassenschaften in Palästina. Es handelt sich um eine palästinische Variante der ostafrikanischen Oldowai II Kultur in drei Phasen. Die bisherigen Untersuchungen dieser Kultur von Ubediye legen eine Datierung zwischen 900 000 und 700 000 v. Chr. nahe. Der See Genezaret hat in dieser Zeit bis zur Siedlung von Ubediye herangereicht, Knochenfunde stammen von Elefanten, Nashörnern, Flußpferden, Krokodilen, Gazellen, Bären und Fischen. Der Gebrauch des Feuers war den Menschen noch unbekannt. Skelettfunde von Menschen fehlen bisher,

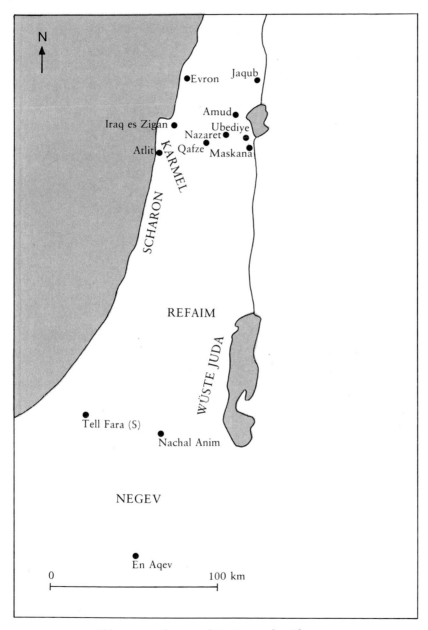

Abb. 2   Fundorte und Regionen der Altsteinzeit

aber man wird analog zu Ostafrika allgemein mit dem Typ des »homo habilis« rechnen dürfen. Die Steinwerkzeuge aus Flint, Basalt und Dolomit sind etwa kartoffelförmig, an einem Ende bearbeitet bzw. abgeschlagen, um eine Art »Schneide« zu erhalten. Ähnlich bearbeitete Kieselsteine fanden sich auch in Chirbet Maskana, nahe bei Tiberias. Vereinzelt beginnen hier bereits Flintwerkzeuge, die eine primitiv bearbeitete Schneide aufweisen. In Ubediye und Evron, an der Mittelmeerküste südlich von Nahariyya, entdeckte man ferner eine palästinische Variante der frühen Acheuléen- oder Abbeville-Kultur (benannt nach diesen beiden Hauptfundorten in Nordfrankreich), die über 700 000 Jahre alt ist. Ab diesem Zeitpunkt setzt eine neue Technik der Steinbearbeitung ein: eine beiderseitige Gestaltung des Feuersteins, so daß schließlich eine Schneide entsteht, die bereits sehr spitz zulaufen kann. In der frühen Phase des Acheuléen waren die Werkzeuge noch ungleichmäßig und relativ dick, verfeinern sich aber zusehends, so daß die Ränder glatter werden. So bearbeitete Flintwerkzeuge fand man südlich des Hule-Sees bei Dschisr Benat Jaqub und in der Refaim-Ebene, die der mittleren Acheuléen-Kultur zuzusprechen sind.

Ebenso hat die Tayacien-Kultur in Palästina eine Variante, die nach der Höhle Tabun im Karmel benannt ist. Sie ist ferner vertreten in einer Höhle von Umm Qatafa in der südlichen Wüste Juda. Die Steinwerkzeuge sind primitiver: grobe, dicke Abschlag- und wenig Kerngeräte. Hier fand man aber das erste Zeugnis für die Verwendung des Feuers in Palästina. Bei der Feuerstelle gab es Spuren verbrannter Tierknochen. Die Tabun-Kultur überlagert sich mit verschiedenen Phasen des Acheuléen. So fallen z. B. die drei frühesten Phasen der Tabun-Kultur von Umm Qatafa in das Ende der frühen und den Anfang des mittleren Acheuléen Palästinas. Die mittlere Tabun-Kultur vom Karmel wiederum fällt mit dem mittleren Acheuléen von Umm Qatafa zusammen.

Die letzte Phase der frühen Altsteinzeit wird nach einer Felsformation im Antilibanon nördlich von Damaskus als Jabrud-Kultur bezeichnet. Sie fällt mit dem späten Acheuléen zusammen und kann auch als späte Tabun-Kultur bezeichnet werden.

1.2 Mittlere Altsteinzeit (ca. 75 000 – 35 000 v. Chr.)

Die mittleren Altsteinzeitkulturen Palästinas entsprechen denen Europas und werden nach dem französischen Hauptfundort Le Moustier bezeichnet. Der Übergang von der Jabrud-Tabun-Kultur zur Mousterien-Kultur ist bisher am deutlichsten in Jabrud sichtbar geworden. Die

Steingerätetechnik ist der Tabun-Kultur noch sehr ähnlich, verfeinert sich jedoch merklich. Die Formen werden regelmäßiger, die Kanten dünner und schärfer. Charakteristisch für die Mousterien-Kultur ist die sogenannte »Handspitze«, die als Speerspitze Verwendung fand oder an einem Holz- bzw. Knochengriff montiert wurde, so daß ein dolchartiges Werkzeug entstand. Im Unterschied zur europäischen Mousterien-Kultur existieren in Palästina auch Schneidwerkzeuge, die sonst erst in der späten Altsteinzeit auftauchen.

Aus der mittleren Altsteinzeit stammen die ältesten Gräber Palästinas, in den drei Karmelhöhlen Tabun, Kebara und Suchul, einer Höhle bei Nazaret und in zweien Obergaliläas: Zuttiya und Amud. Die ältesten Skelettfunde stammen aus der Zuttiya-Höhle und reichen bis in die Jabrud-Kultur zurück. Die Funde aus den anderen Höhlen lassen sich in die Mousterien-Kultur einordnen, wobei die galiläischen Funde älter sind als die vom Karmel. Der Menschentyp liegt zwischen dem europäischen Neandertaler und dem homo sapiens. Statt der Bezeichnung Karmel- und Galiläa-Mensch ist es besser, vom »Palaioanthropos palaestinensis« zu sprechen. Die Toten wurden auf dem Rücken oder auf der Seite liegend beigesetzt, und zwar immer in Hockerstellung. Beigaben sind vorhanden. Weitere Stätten der Mousterien-Kultur sind bei Tirat Karmel und am Nachal Anim im Zentralnegev. Eine spät-/mittel-/altsteinzeitliche Ortslage entdeckte man nahe des Tell el-Fara (S). Es fanden sich hier auch Knochenreste von Tieren (Wildochsen, Kamele, Antilopen), die bei der Jagd erlegt worden waren.

1.3 Späte Altsteinzeit (ca. 35 000–10 000 v. Chr.)

Etwa ab 35 000 v. Chr. wird die Mousterien-Kultur Palästinas durch die ersten Phasen der Klingen- und Sichelkulturen (Aurignac-Kultur in Europa) abgelöst. Eine frühe Phase dieser Kultur ist in der Höhle von Emire in Galiläa, in der Höhle el-Wad im Karmel, in Jabrud in Syrien und in et-Tubban in der Wüste Juda vertreten. Die darauf folgende Achmar-Kutlur, benannt nach dem Hauptfundort im Wadi Hariton der judäischen Wüste, treffen wir in Kebara, el-Wad und am Dschebel el-Qafze. Darauf folgen die Atlit-Kultur und Kebara-Kultur, die in Europa dem Solutréen und Magdalénien entsprechen, sich aber davon unterscheiden. Eine der Atlit- und Kebara-Kultur verwandte fand sich zeitlich etwa gleichzeitig in der Scharon-Ebene. Die letzte Phase der späten Altsteinzeit, eine Übergangsphase zur Mittleren Steinzeit, ist die geometrische Kebara-Kultur, die erst vor wenigen Jahren am Karmel in Iraq es-Sigan nachgewiesen wurde. U. a. fand man eine rechteckige und zwei kreisrunde Strukturen, die als Fundamente für zelt- bzw. hüttenartige Behausungen dienten. Im Süden, im Zentralnegev, markiert die Ortslage en Aqev den Übergang zum Mesolithikum.

Der Menschentyp der späten Altsteinzeit Palästinas ist der homo sapiens. Mit den Atlit- und Kebara-Kulturen beginnen in Palästina – wie im Vorderen Orient – getrennte Kulturkreise ihren Anfang zu nehmen.

Innerhalb Palästinas entwickeln sich die zwei großen Kulturkreise: der eine in den vegetationsreichen, fruchtbaren Regionen mit ihren bisher bekanntesten Dauerniederlassungen und der andere in den Steppenregionen. Im ersten entstand die Kunst der Kleinplastik. Der Toten- und Fruchtbarkeitskult beginnt sich zu entwickeln. Typisch sind die Mikrolithen. (Mikrolithen sind keine Flintplättchen für Kompositwerkzeuge). Der zweite Kulturkreis ist besonders durch seine Felsritzzeichnungen bekannt geworden. In der Steingeräteerzeugung wird die altsteinzeitliche Tradition fortgesetzt. Das nomadische Element bleibt hier dominant.

2. DIE MITTELSTEINZEIT
(ca. 10000–8300 v. Chr. Abb. 3)

Das palästinische Mesolithikum beherrscht in den fruchtbaren, vegetationsreichen Landstrichen die Natuf-Kultur, benannt nach dem Hauptfundort, einer Höhle im Wadi Natuf, zwischen Tel Aviv und Jerusalem. Es gibt heute einige Dutzend Fundorte der Natuf-Kultur. Die meisten von ihnen liegen an der Küste und im Karmel, über ein Dutzend im judäischen Bergland und in der Nähe Jerusalems, zwei wichtige im Jordantal: Enan und Jericho, sowie im Zentralnegev bei Rosch Zin und Rosch Chorescha. Die Natufier bewohnten teils Höhlen, teils freie Siedlungen und trieben bereits einen begrenzten Handel untereinander. So wurden z. B. die bei den Natufiern als Schmuck beliebten Dentalia-Muscheln nicht nur in den Küstensiedlungen, sondern bis tief ins judäische Gebirge hinein gefunden.

Von den Natufiern sind bisher über 300 Skelette erhalten. Diese Menschen repräsentieren bereits den Langschädeltyp. Das Profil mit hoher Stirn ist sehr ausgeprägt. Hände und Füße sind zierlich, Arm- und Beinknochen schlank. Die durchschnittliche Größe der Frauen kann mit 1,53 m, die der Männer mit 1,60 m angegeben werden.

18

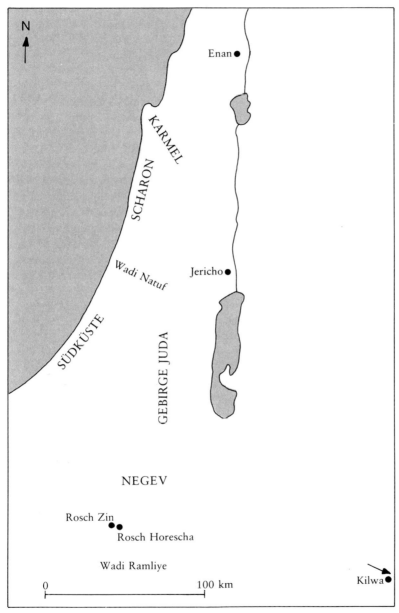

Abb. 3 Fundplätze und Regionen der Mittleren Steinzeit

Die Natuf-Kultur ist vorwiegend mikrolithisch. Es gibt aber auch noch Werkzeugtypen der späten Altsteinzeit. Typisch sind geflügelte Speerspitzen, Sichelklingen und andere Ackerbaugeräte aus Feuerstein. Die Natufier waren außerordentlich kunstsinnige Menschen. Sie sind die Erfinder der Kleinplastik in Palästina, meist tier- oder menschengestaltige Skulpturen. Es ist anzunehmen, daß diese kultische Bedeutung hatten und allgemein in Verbindung mit der Fruchtbarkeit zu sehen sind. Die Toten wurden unter den Fußböden ihrer Behausungen oder vor Höhleneingängen bestattet. Es gibt zwar die Einzelbestattung, doch die Regel sind Gemeinschaftsgräber. Den Toten, die in Hockerstellung auf der Seite liegend bestattet wurden, hat man zahlreiche Gaben mitgegeben: Muschelketten, Anhänger aus Elfenbein und Knochen u. a. Sehr schön ist ein Kopfschmuck mit fächerartiger Anordnung von einer Bestattung aus der Karmelhöhle el-Wad. Man hielt es offenbar für wichtig, daß dies, was der Mensch im Leben liebte, ihn auch als Toten begleiten sollte. Die Vorstellung, daß der Mensch nach seinem Hinscheiden weiterlebt und dies in seinem vollen Glanz und Schmuck tun soll, ist hier deutlich spürbar. Auch die Bestattungsart im Haus bei den Lebenden bekräftigt dies. Er ist als Toter kein Ausgestoßener, sondern sollte bei den Seinen weiterexistieren. Die Kontinuität von Leben und Tod, Tod und Leben ist hier noch ungebrochen.

Die Natufier brachten auch in wirtschaftlicher Hinsicht den ersten Durchbruch. Sie ernährten sich zwar noch primär von den Erträgen der Jagd und Fischerei, gingen aber bereits zu bescheidenem Anbau von wilden Getreidesorten über. Das Getreide wurde mit den Sichelklingen aus Flint geerntet. Es ist die Zeit des Übergangs von der Nahrungssuche zur Nahrungserzeugung. An domestizierten Tieren gab es im mittleren Natufium bereits den Hund.

In Jericho wurde eine interessante natufische Struktur gefunden: ein 6,50 mal 3,50 m großes Lehmrechteck war von einer wuchtigen Steinmauer eingefaßt, in die in Abständen Holzpfähle eingelassen waren. Der C-14 Test läßt eine Datierung zwischen 9300 und 8300 v. Chr. zu. Die Ausgräberin, K. Kenyon, deutet die Struktur als Heiligtum, das natufische Jäger bei der Quelle von Jericho errichteten.

Neben der Natuf-Kultur Palästinas, teils ihr vorausgehend, teils sich mit ihr überschneidend, gibt es die Steppenkulturen. Die Menschen dieses Kulturkreises waren primär Jäger. Die Felsritzzeichnungen, die sie hinterlassen haben, geben einen gewissen Einblick in ihr Leben und in ihre Vorstellungen. Ihre temporären Lagerplätze sind durch Steinkreise gekennzeichnet, über die Hütten und Zelte errichtet wurden. Aufgrund

20

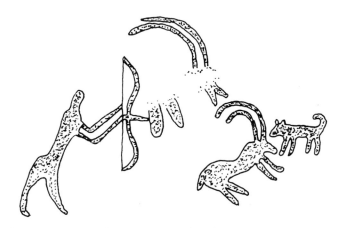

Abb. 4   Felsritzzeichnung vom Dschebel Ideid im südlichen Negev
Jagdszene, Stil III (E. Anati, Palestine before the Hebrews, S. 188)

der Felsritzzeichnungen können drei Phasen dieses nomadischen Kultur-
kreises unterschieden werden. In der ersten Phase werden hauptsächlich
Tiere wie Steinböcke, Büffel, Wildkatzen dargestellt; Haustiere fehlen.
Solche Ritzzeichnungen finden sich in Kilwa in Transjordanien und im
Wadi Ramliye im Negev. In der zweiten und dritten Phase, die schon ins
Mesolithikum fallen, herrschen Jagdszenen (Abb. 4) vor. Der Hund als
domestiziertes Jagdtier existiert bereits. Es scheint auch schon gezähmte
Ziegen und Büffel gegeben zu haben. Ähnlich wie in der Natuf-Kultur
der Ackerbau einsetzt, so hier die Viehzucht, der Beginn der Hirtenkultur. An Erfindungen sind besonders der Bogen als Jagdwaffe und selbst-
funktionierende Tierfallen, die auch mit Tierködern bestückt worden
sind, zu nennen.

3. DIE JUNGSTEINZEIT
(ca. 8300–4000 v. Chr.   Abb. 5)

Die Jungsteinzeit markiert hinsichtlich der vegetationsreichen Gebiete
Palästinas den endgültigen Schritt des Menschen von der Nahrungs-
sammlung und Jagd zur Nahrungserzeugung durch Ackerbau und
Domestizierung von Tieren. Dadurch bedingt wird der Mensch immer
mehr an einem Ort seßhaft und läßt das nomadische Leben hinter sich.

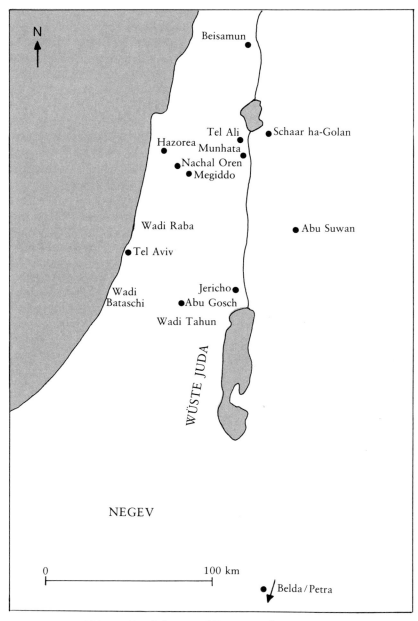

Abb. 5   Fundplätze und Regionen der Jungsteinzeit

Von der Seßhaftigkeit geht der Schritt weiter zu den Anfängen der Urbanisierung, bedingt durch Produktionsüberschüsse der Land- und Viehwirtschaft. Ziegen, Schafe, Rinder und Schweine werden gezüchtet. Dies wiederum ermöglicht die Spezialisierung einzelner Menschengruppen zu Handwerkern, die, ohne selbst Bauern zu sein, von der Gemeinschaftsproduktion mit ernährt werden können. Dies alles sind große Fortschritte; doch in ihrem Wesen unterscheidet sich die jungsteinzeitliche Kultur nicht von der des Mesolithikums. Es sind graduelle Unterschiede bzw. eine konsequent kontinuierliche Weiterentwicklung.
Jungsteinzeitliche Siedlungen finden sich in ganz Palästina, und die Forschungen der letzten Jahre haben Hunderte Lagerplätze und Siedlungen neu entdecken können.
Die wichtigsten Ortslagen sind an der Küste, in der Jesreel-Ebene zwischen Jokneam und Megiddo, im Jordantal (Munhata, Tell Ali, Schaar ha-Golan, Jericho), im judäischen Gebirge und der Wüste Juda (Wadi Tahun, Abu Gosch), in Transjordanien (Abu Suwan, Belda bei Petra) und im Negev (Nachal Besor).
Die vorherrschenden Werkzeuge sind Hacke, Axt und Pfeilspitze aus Flint. Um etwa 5500 v. Chr. markiert die Erfindung der Keramik eine Wende. Man unterscheidet daher die Jungsteinzeit in eine vorkeramische und eine keramische Periode, wobei es natürlich in den einzelnen Regionen Palästinas Überschneidungen gibt.

3.1 Die vorkeramische Jungsteinzeit (ca. 8300−5500 v. Chr.)

Am eindrucksvollsten läßt sich die vorkeramische Periode an Jericho darstellen. Über den Schichten der Mittelsteinzeit (Natufium) fand man eine frühjungsteinzeitliche Siedlung, die aus Hütten und Zelten bestand, welche noch einer seminomadischen Bevölkerung dienten. Um ca. 7000 v. Chr. setzt die vorkeramische Siedlung A ein, die bis 6000 v. Chr. dauerte. Diese Siedlung wurde als „älteste Stadt" der Welt hervorgehoben. Auch wenn man genauer vom Werden der ältesten uns bisher bekannten Stadt der Welt sprechen sollte, so mindert dies nicht die Faszination, die von dieser Anlage ausgeht. Die Siedlung ist über ein Areal von über vier Hektar verstreut. Vom Natufium bis zu dieser Anlage läßt sich eine kontinuierliche Entwicklung verfolgen, und zwar bei den Flint- und Knochenwerkzeugen, vom seminomadischen Dasein bishin zur Seßhaftigkeit. Die Häuser haben einen ovalen Grundriß und wurden aus plankonvexen Lehmziegeln errichtet. Die ganze Siedlung war mit einer aus Steinen erbauten Mauer von ca. 1,95 m Stärke umgeben, die teilweise noch heute bis zu 3,60 m Höhe erhalten ist. Im westlichen Abschnitt war an die Innenseite der Stadtmauer ein massiver — heute noch 9 m hoch erhaltener — Steinturm angebaut. Von seinem östlichen Zugang führen 22 Stufen nach oben. Diese Stadt bot ca. 2000−2500 Menschen Raum. Voraussetzung einer solchen Anlage ist genügend Nahrung aus Landwirtschaft und Viehzucht. Durch die große Quelle von Jericho war reichlich Wasser für die Bewässerung von Feldern vorhanden, aber es bedurfte des planenden und kontrollierenden menschlichen Geistes, das Wasser durch Ableitung in Kanälen auf die Felder zu bringen.

Neben der vorkeramischen Jericho-Kultur ist im judäischen Bergland und Negev die Tahun-Kultur beheimatet. Die Flintwerkzeuge der vorkeramischen Periode B von Jericho sind mit denen des Tahuniums so ähnlich, daß manche Forscher an eine Beziehung denken. In der späteren Phase des Tahuniums, gegen Mitte des 6. Jt. v. Chr., lassen sich zwischen dem Tahunium und Ägypten Kontakte feststellen.

Für Nordpalästina kann man von der Nachal Oren-Kultur sprechen, die den Flintwerkzeugen des Tahuniums sehr nahe steht. In Besamun wurde kürzlich eine vorkeramische Siedlung aus dem 7.−6. Jt. v. Chr. gefunden. Von einem Wohnhaus, 5 mal 4 m, mit einem Portikus, 4 mal 2,20 m, waren die 60 cm starken Mauern noch in zwei Steinlagen erhalten geblieben.

Nahe bei Petra wurde eine Variante derselben Kultur nachgewiesen. Es scheint, daß die verschiedenen vorkeramischen Kulturen Palästinas im 6. Jt. v. Chr. auf eine aus dem Norden stammende Bevölkerung zurückgehen, die teils in Weiterführung einheimischer Traditionen die kulturelle Ausbildung in der Nachal Oren-, Jericho-, Tahun- und Beia-Kultur erfahren haben. Die auf die Natufier zurückgehende neolithische vorkeramische Kultur (Jericho A) wurde dabei aber verdrängt, vielleicht auch vernichtet? Die Ähnlichkeit, die sich trotz alledem zwischen der vorkeramischen Kultur A und B Jerichos findet, könnte darauf hinweisen, daß beide in Palästina eine zeitlang nebeneinander existierten und B von A manches übernahm wie z. B. die Totenbestattung. Blicken wir nun näher auf das vorkeramische Jericho B. Die Hausgrundrisse sind jetzt rechteckig, die Ecken allerdings abgerundet. Die Flintwerkzeuge weisen eine andere Bearbeitungstechnik auf. Was die Ausdehung der Siedlung B betrifft, so gibt es kaum einen Unterschied zu A. Auch die Siedlung B war von einer massiven Mauer umgeben. Beiden Phasen gemeinsam ist die aus dem Natufium stammende Bestattung der Toten unter dem Fußboden der Häuser. In Phase B kann man beobachten, daß die Schädel

24

der Toten mit Muscheln als Augen ausgestaltet sind und extra in den Ecken der Wohnräume bestattet wurden.

Kennzeichnend für die religiösen Vorstellungen der Phase B ist ein Raum mit einer Nische an seiner Schmalseite. In der Nische stand auf einem Sockel ein 46 cm hoher Kultstein. In solchen Steinen sah der archaische Mensch eine reale Vergegenwärtigung der Gottheit. Der einfache Stein zeigt dabei, daß es nicht notwendig war, das Göttliche unbedingt menschengestaltig darzustellen, obwohl es dies auch gegeben hat, wie menschengestaltige Tonfiguren zeigen. Der Lehm wurde dabei um ein Gerüst aus Rohr und Schilf modelliert.

In die vorkeramische Periode der Jungsteinzeit dürfte man auch den Beginn der sogenannten Megalithkultur Palästinas anzusetzen haben. Bedenkt man, daß in der vorkeramischen Periode B von Jericho der erste Kultstein gefunden wurde, könnte man geneigt sein, den Beginn der Megalithkultur mit jener aus dem Norden kommenden Bevölkerung zu sehen, die uns auch in der Nachal Oren- und Tahun-Kultur entgegentritt. Sie werden aber vermutlich diese Kultur nicht in Palästina eingeführt haben. Es ist eher daran zu denken, daß sie diese eigenständig mit dem Seßhaftwerden und der beginnenden bäuerlichen Lebensform entwickelt haben.

Eine frühere Ansetzung der Megalithkultur verbietet die opinio communis der Religionsgeschichte, daß die Megalithen in Zusammenhang mit einer bereits bäuerlichen Kultur zu sehen sind. In Palästina treffen wir auf alle vier megalithischen Formen: Dolmen (Steingrab aus vier bis sechs Steinplatten), Menhir (aufrecht stehender Stein), Cairn (Steinhaufe) und Cromlech (Steinkreis). Dolmen und Cairn sind Grabformen, Menhir und Cromlech stehen meistens nahe von Friedhöfen und hatten wohl im Totenkult ihren Platz, d. h. sie können Tote vergegenwärtigen wie auch als Wohnungen chthonischer Gottheiten verstanden werden. In diesem Zusammenhang sei auch darauf hingewiesen, daß die Menhire keine phallische Bedeutung haben! Eine solche moderne, von der Psychoanalyse her kommende Deutung, entbehrt der Grundlage und entspringt einem völlig anderen Denken.

Die megalithischen Denkmäler konzentrieren sich im oberen Jordantal, im Golan, im ostjordanischen Plateau, in den westjordanischen Gebirgen und in den südlichen Steppenregionen. Die älteste megalithische Struktur Palästinas stammt aus dem Ostjordanland, vom Wadi Dschoba, und läßt sich aufgrund der Flintwerkzeuge in die vorkeramische Periode datieren. Die megalithischen Formen lassen sich in Palästina bis weit in die Bronzezeit hinein verfolgen.

3.2 Die keramische Jungsteinzeit (ca. 5500–4000 v. Chr.)

Noch während der späten Phase der Tabun-Kultur Südpalästinas erscheint im Norden die Jarmuk-Kultur, deren Menschen vom Ackerbau, der Jagd und vom Fischfang lebten. Die Häuser waren in den Boden eingelassen. Das Dach wurde von einem Pfosten getragen. Zwei hervorstechende Merkmale unterscheidet diese Kultur von früheren: die Kleinkunst und die Keramik. Kieselsteine wurden mit geometrischen Mustern verziert, aber auch zu stilisierten weiblichen und männlichen Figurinen bearbeitet. Die Geschlechtsmerkmale sind überdeutlich markiert. Oft wurden die Steinfiguren rot bemalt. In Schaar ha-Golan fand man Hunderte solcher Objekte. Sie dürften Requisiten der Fruchtbarkeitskulte sein. Die Keramik ist einfach, oft durch Ritzungen (Fischgrätmuster) plastisch dekoriert und noch bei niedrigen Temperaturen gebrannt. Während die Jarmuk-Kultur in Blüte stand, entwickelte sich an der Küste eine aus Südanatolien stammende Kultur, deren Hauptort bzw. -region Bataschi im Sorek-Tal und das Wadi Raba in der Scharon-Ebene sind. Von der Küste weg verbreitete sich diese Kultur gegen Osten in die Jesreel-Ebene bis zum Jordan (Tel Ali). Völlig unterschiedlich zur Jarmuk-Kultur ist die fast ausschließlich mit Ritzmustern versehene Keramik. Die Bemalung kann von intensivem rot-orange zu bernsteingelb, dunkelbraun und schwarz variieren. Der Ackerbau dürfte gegenüber Jagd und Fischerei vorrangig gewesen sein.

In Jericho setzt die keramische Periode um 5500 v. Chr. ein, etwa gleichzeitig mit der Küstenkultur. Es kommt jetzt allerdings zu keiner städtischen Entwicklung. Die Keramik gliedert sich in eine Fein- und eine Grobkeramik. Die letzte weist starke Einsprenkelungen von Sandkörnern und Häcksel auf, während die andere aus sehr gut geschlemmtem Ton hergestellt wurde. Die Feinkeramik hat einen cremefarbenen Überzug, der manchmal mit roten Verzierungen bemalt sein kann.

Die Keramik aller drei Kulturen: Jarmuk, Küste und Jericho zeigt, daß diese Menschen schon länger mit der Töpferkunst vertraut waren, sie in Palästina wohl kaum erfanden, sondern bereits mitbrachten.

4. KUPFERSTEINZEIT
(ca. 4000–3150 v. Chr. Abb. 6)

Die Kupfersteinzeit ist eine Übergangsphase von der Steinzeit zur Bronzezeit. Der Name rührt daher, daß neben den Steinwerkzeugen solche

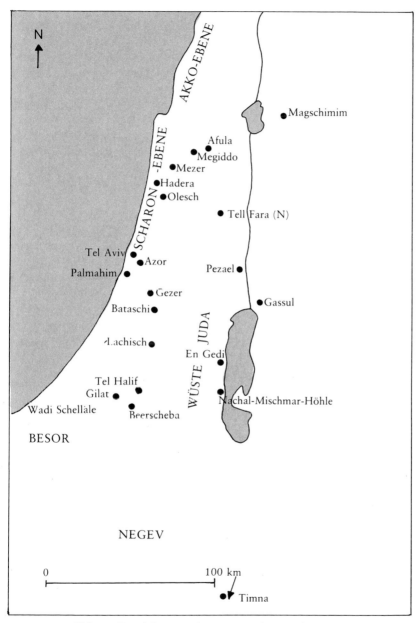

Abb. 6   Fundplätze und Regionen der Kupfersteinzeit

aus Kupfer hinzukommen. In der Kupfersteinzeit beginnt die Bevölkerung Palästinas dichter zu werden. Die Existenzgrundlage sind Ackerbau und Viehzucht. Aber es läßt sich noch immer keine einheitliche Kultur feststellen. Die Niederlassungen reichen von dörflichen Siedlungen bis zu temporären Wohnstätten großer Familien.

Im Wesentlichen verteilt sich auf den Norden und Süden ein eigener Kulturkreis. Beide Kulturkreise sind wiederum von je unterschiedlichen Völkern und Kulturen getragen. Während sich die Dörfer des nördlichen Kulturkreises in der Folgezeit zu städtischen Siedlungen entwickeln, ist dies bei den Dörfern des Südens am Rand der Steppe kaum der Fall. Eine markante Ausnahme ist Arad.

4.1 Der nördliche Kulturkreis

Der Norden ist durch zwei chalkolithische Kulturen gekennzeichnet. Die eine ist an der Küste, die andere im Binnenland beheimatet. Die Küstenkultur hat die Besonderheit entwickelt, Tote nach der Verbrennung in Stein-, Ton- oder Holzurnen zu bestatten. Die Urnen haben die Form eines Hauses (Abb. 7). In modifizierter Weise setzt sich hier die Vorstellung vom Grab als Haus des Toten fort. Die kleinen, hausgestaltigen Urnen wurden dann in kollektiven Gräbern beigesetzt. Diese Urnen können auch einigen Aufschluß über die Hausarchitektur liefern. Die Mauern sind bemalt (Holzimitation), die Dächer zeigen Muster von Palmblättern. Im Innern ist nur ein Raum.

Für die Binnenkultur ist eine in Tiefrelief dekorierte Keramik charakteristisch. Das Relief wurde mit Hilfe von Schnüren und Fingerabdrücken gebildet, bevor man das Gefäß zum Brennen gab. Sehr häufig ist diese Art der Keramik am Tell el-Fara (N) aufgetreten. Die südlichen Ausläufer reichen bis Gezer und Lachisch. Die Menschen bewohnten teils Höhlen, teils Häuser mit Steinfundamenten. In Megiddo und Gezer fand man in Höhlen Felsritzzeichnungen, die Szenen des täglichen Lebens darstellen. Menschen und Haustiere wie Rinder, Ziegen und Hunde werden häufig dargestellt. Ein seltsames Bild ist der sogenannte Lyra-Spieler (Abb. 8).

Nördlich von Ramat ha-Magschimim im Golan wurde erst vor wenigen Jahren eine Anzahl von Bauernhöfen entdeckt. Eines dieser Gehöfte hatte die Ausmaße 15,5 mal 5,5 m. Es besteht aus einem kleinen Breitraum und einem roh gepflasterten Hof und ist innerhalb eines größeren Hofes plaziert (32 mal 25 m). Da alle gefundenen Strukturen keine Ein-

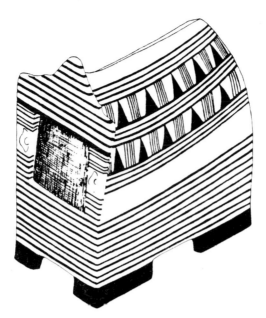

*Abb. 7   Hausförmiges Ossuar von Hedera, Kupfersteinzeit
(E. Anati, Palestine before the Hebrews, S. 288)*

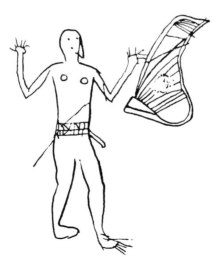

*Abb. 8   Steinritzzeichnung: Mann mit Lyra, aus Megiddo; Kupfersteinzeit
(E. Anati, Palestine before the Hebrews, S. 295)*

gänge aufweisen, hat man angenommen, daß die Häuser nur mittels einer Leiter oder Treppe? erreichbar waren.

4.2 Der südliche Kulturkreis

Im Süden lassen sich vier Kulturen unterscheiden: Wadi Schellale im Westnegev, Beerscheba, Wüste Juda und Gassul im Ostjordanland.

Die Wadi Schellale-Kultur ist eine direkte Weiterführung des Tahuniums und die älteste kupfersteinzeitliche Kultur Palästinas. Die kleinen Häuser haben ovalen Grundriß. Aufgrund der Flintwerkzeuge lassen sich Verbindungen mit Ägypten feststellen, aber ebenso mit der nördlichen Küstenkultur. Pferche bei den Wohnstellen weisen auf die Bedeutung der Viehhaltung hin. Auch Ackerbau und Jagd spielten eine wesentliche Rolle.

Die Beerscheba-Kultur hatte völlig andere Wohnanlagen. Sie sind unter dem Lößboden angelegt, die einzelnen Räume sind durch Gänge verbunden. Erst in der späteren Phase wurden große, rechteckige Häuser an der Erdoberfläche erreicht. Haupttätigkeit war eine gärtnerische Landwirtschaft. Jagd und Viehzucht scheinen dagegen bescheidener gewesen zu sein. Die Kleinplastik erreichte in der Beerscheba-Kultur ein beachtliches Maß. Charakteristisch sind auch Anhänger und anderer Schmuck aus Knochen, Muscheln, Kupfer und Ton.

Die Menschen der Kultur der Wüste Juda wohnten primär in Höhlen. Die Keramik ist der Beerscheba- und Gassul-Kultur ähnlich, besonders was die hornförmigen Trinkgefäße mit Bänderabdruck anlangt. In En Gedi wurde ein Breitraumtempel, 20 mal 4 m, gefunden (Abb. 9), an dem sich im Süden ein großer Hof anschließt. Er diente den Menschen dieser Kulturstufe vielleicht als zentrales Heiligtum? Diese Kultur ist noch am stärksten seminomadisch geprägt.

Die vierte und bisher am besten erforschte Kultur des Chalkolithikums ist die ostjordanische Gassul-Kultur, benannt nach dem Hauptort Gassul nordöstlich des Toten Meeres. In Gassul wurden ca. 70 Häuser archäologisch ausgegraben und untersucht. Jedes Haus hatte ein bis drei Räume. Die Fußböden waren mit Kieselsteinen gepflastert. Jedes Haus besaß einen ummauerten Hof, in dem sich oft mehrere Feuerstellen fanden. Die Höfe wiesen ferner Silos und Wasserbecken auf. Die mit luftgetrockneten Lehmziegeln erbauten Häuser ruhten auf Steinfundamenten. Die Dächer waren aus Holz oder Stroh. Einmalig ist, daß sich auf der Innenseite der Hauswände polychrome Fresken befanden: geometrische

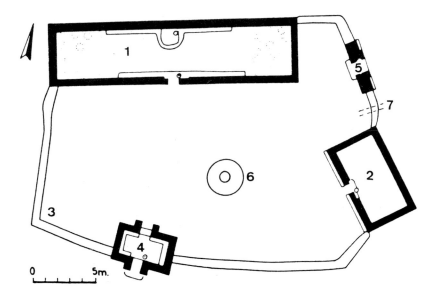

Abb. 9 Chalkolithisches Heiligtum von En Gedi
(Y. Aharoni, Archaeology, S. 44, Abb. 5)

1 = Eigentliches Tempelgebäude
2 = Nebengebäude
3 = Umfassungsmauer
4 = Toranlage
5 = Weitere Toranlage im Osten
6 = Steinpodest
7 = Reste eines Kanals

Muster, Sterne, Linien, menschliche Figuren, Masken, Dämonen und Fruchtbarkeitsriten.

Die Gassul-Kultur ist die am stärksten bäuerlich orientierte und schon als absolut seßhaft anzusehen.

Charakterstisch für den südlichen Kulturkreis ist das relativ häufige Vorkommen von Kupfer. Kupfer wurde in der Araba und im Timna-Tal abgebaut. Die ältesten Kupferabbau- und Schmelzanlagen in Timna gehen in die Kupfersteinzeit zurück. Es gab bereits eine regelrechte Kupferindustrie. Die Art des Schmelzofens, wie sie hier erfunden wurde, bestand nur wenig verbessert bis in die römische Zeit hinein.

ÜBERSICHTSTAFEL
ZU DEN STEINZEITLICHEN KULTUREN PALÄSTINAS

Mensch	Zeit	Archäologische Perioden	Kulturen		
homo habilis	900 000	Frühe Altsteinzeit	Oldowai II Pal. Variante		
	700 000		frühes Acheuléen	Pal. Variante frühe Tabun	
			mittl. Acheuléen	mittl. Tabun	
			spätes Acheuléen,	Jabrud oder späte Tabun	
	75 000	Mittl. Altsteinzeit	Jabrud/späte Tabun		
homo palaioanthropos palaestinensis			Mousterien		
	35 000	Späte Altsteinzeit	Emire Achmar Atlit ⎱ Scharon- Kebara ⎰ Kultur Geometr. Kebara		
homo sapiens	10 000	Mittelsteinzeit	Negev I Negev II Natufium Negev III		
	8 300	Jungsteinzeit		spätes Natufium	
	6 000		*Megalith-Kultur*	Vorkeramische Jungsteinzeit: Jericho A Jericho B, Tahun, Nachal Oren, Wadi Beia	
	5 500			Keramische Jungsteinzeit: Jericho, Jarmuk, Küste	
	4 000	Kupfersteinzeit		nördl.- Küste Binnen- land	südl. Kultur Wadi Schel- lale Beerscheba, Wüste Juda Gassul

III. Bronzezeit oder Kanaanäische Periode

(ca. 3150–1200 v. Chr.)

Der archäologische Begriff für die Zeit von ca. 3150–1200 v. Chr. ist »Bronzezeit«, obwohl Bronze als Material für Gegenstände und Werkzeuge des täglichen Gebrauchs erst im 2. Jt. v. Chr. häufiger vorkommt. Der Begriff »kanaanäische Periode« versucht, den genannten Zeitraum unter dem Aspekt der dominierenden Einwohnerschaft Palästinas, der Kanaanäer, zu umreißen. Ein weiterer Begriff für diese Zeit, der ebenfalls in der wissenschaftlichen Literatur erscheint, ist »urbane Periode«. Dieser Begriff drückt aus, daß die Kultur Palästinas als eine städtische zu verstehen ist.

Alle drei Begriffe sind richtig und betonen je einen Aspekt: Bronze als neues Material, Kanaanäer als tragendes Bevölkerungselement, Vorherrschen städtischer Lebensformen. Damit sind bereits drei wesentliche Merkmale der neuen Zeit angeschnitten.

Das 3. Jt. v. Chr., vor dessen Tür wir nun stehen, ist im Vorderen Orient durch die Entstehung der großen Reiche in Ägypten und Mesopotamien gekennzeichnet. Diesen Kulturen an den gewaltigen Flußsystemen ist es gelungen, solche Nahrungsüberschüsse zu erzeugen, daß Händler, Handwerker und Arbeiter in Steinbrüchen und Minen miterhalten werden konnten. In einem relativ armen Gebiet, wie es Palästina war und ist, war es nicht möglich, zu wirklich großen Nahrungsüberschüssen zu kommen und so blieb Palästina in wirtschaftlicher und kultureller Hinsicht ab der Bronzezeit hinter den großen Flußkulturen Ägyptens und Mesopotamiens zurück, gewinnt aber als Landbrücke zwischen Afrika und Asien immer mehr an Bedeutung. Diese ökonomischen Gründe waren auch dafür maßgebend, daß es im Palästina der Bronzezeit nie zur Bildung eines größeren Staatswesens gekommen ist. Die typische Staatsform der Bronzezeit bleibt der Stadtstaat: ein urbanes Zentrum, das über ein umliegendes, begrenztes Territorium mit Satellitendörfern verfügt, von einem Stadtfürsten oder Kleinkönig regiert und feudalistisch verwaltet wird. Die einzelnen Stadtstaaten sind autonom, wetteifern miteinander, bekriegen sich oder koalieren miteinander.

Ein weiteres Kennzeichen der Bronzezeit ist, daß nun schriftliche Dokumente erhalten sind, die die auf archäologischer Evidenz beruhende Kenntnis ergänzen und bereits intensiveren Einblick in Lebens- und Kulturzusammenhänge, politische wie militärische Aktionen bieten. Es handelt sich durchwegs um ägyptische Dokumente. Schriftliche Dokumente, die in Palästina entstanden sind, gibt es erst ab der Späten Bronzezeit. Dabei ist einer der bedeutsamsten Schritte der menschlichen Geistesgeschichte gelungen: die Erfindung der alphabetischen Schrift, die die Mutter aller anderen Schriften werden sollte. Durch die letzten Untersuchungen von B. Sass scheint es mir doch sehr wahrscheinlich geworden zu sein, daß die Anfänge des Alphabetes in die Mittlere Bronzezeit zurückreichen.

Der Zeitraum von 3150 bis 1200 v. Chr. wird in die drei Abschnitte unterteilt: Frühe Bronzezeit (ca. 3150–2200 v. Chr.), Mittlere Bronzezeit (ca. 2200–1550 v. Chr.) und Späte Bronzezeit (ca. 1550–1200 v. Chr.). Für alle drei Abschnitte gibt es noch weitere Unterteilungen.

1. FRÜHE BRONZEZEIT
(ca. 3150–2200 v. Chr. Abb. 10)

In der Frühen Bronzezeit wurde das Fundament der kanaanäischen Kultur gelegt. Die Städte, die gegründet wurden, blieben häufig die ganze Bronzezeit hindurch erhalten. Nach Zerstörung durch kriegerische Ereignisse, Naturkatastrophen etc. baute man eine Stadt an Ort und Stelle wieder auf, und zwar über die Trümmer der vorausgegangenen Periode.

Begründer dieser Kultur ist eine neue Bevölkerung, die gegen 3200 v. Chr. vom Norden her in Palästina einwanderte. Die frühen Reste dieser neuen Bevölkerung unterscheiden sich noch nicht grundlegend von der einheimischen Bevölkerung der ausgehenden Kupfersteinzeit und sind mit ihr noch eine Zeitlang parallel gelaufen. Erkennbar sind die neuen Zuwanderer an ihrer Kiesel-polierten grauen Keramik und den apsidialen Hausgrundrissen. Sowohl diese Keramik als auch das Apsidialhaus dürften ihren Ursprung in Nordanatolien haben. Die Toten bestattete man familienweise in Höhlen außerhalb der Wohnsiedlungen. Zahlreiche Gaben wie kleine Keramikgefäße, Kupferwaffen, Schmuck u. a. wurden den Toten mitgegeben, praktisch all das, was er auch in seinem Leben brauchte, d. h. man glaubte an ein Weiterleben der Toten und wollte ihnen dieses Leben so angenehm wie nur möglich machen. In Bab ed-Dra östlich des Toten Meeres wurde eine riesige Nekropole der Frühen Bronzezeit gefunden, die aus Tausenden von Gräbern besteht. Auf diesem Friedhof gibt es auch mehrere Hundert Beinhäuser für Sekundärbestattungen. In einem einzigen Beinhaus fand man z. B. die

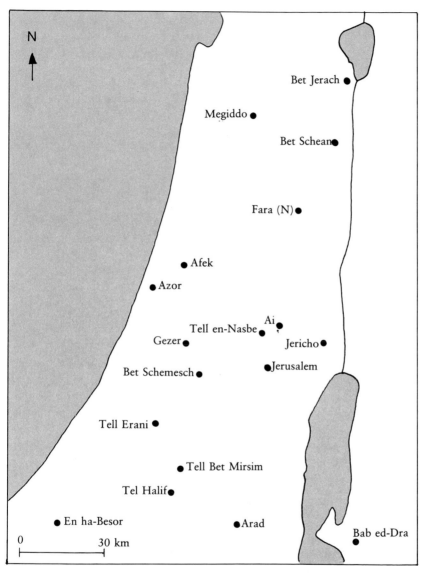

Abb. 10   *Frühbronzezeitliche Städte und Orte*

Knochen von ca. 200 Menschen. Da auf diesem Friedhof in den verschiedenen Phasen der Frühen Bronzezeit Tausende und Tausende Menschen bestattet wurden, muß man annehmen, daß es eine besondere Bestattungsstätte für weite Teile des Landes gewesen sein mag.

Die in der Frühen Bronzezeit I (ca. 3150—1850 v. Chr.) neu gegründeten Wohnsiedlungen konzentrierten sich auf das Jordantal, die Jesreel-Ebene, die Küste, die Schefela und auf das zentrale Gebirgsland. Der südlichste Posten ist Arad. Neben der schon erwähnten grau-polierten Keramik gibt es eine rot-polierte Keramik, die für Krüge mit überdimensionalen Henkeln vorherrscht.

Die neue Bevölkerung Palästinas dürfte semitisch gewesen sein. Dies ist zwar durch keine schriftlichen Dokumente bewiesen, kann jedoch aus verschiedenen Hinweisen erschlossen werden. Wenn z. B. in Ägypten die Erstürmung einer palästinischen Festung dargestellt wird, werden die Verteidiger in der typisch semitischen Form abgebildet. Ein anderer Hinweis sind die Ortsnamen. Wenn man bedenkt, daß sich Ortsnamen oft Jahrtausende lang gleichlautend halten (z. B. Jerusalem), dann kann man mit gutem Grund annehmen, daß die Namen der wichtigen palästinischen Städte schon in der Frühen Bronzezeit so gelautet haben wie in späteren Perioden, für die wir bereits schriftliche Dokumente besitzen.

In der frühen Phase der Frühbronzezeit I waren die Siedlungen noch ohne Stadtmauern und es herrscht die grau- oder rot-polierte Keramik vor. In der späteren Phase der Frühbronzezeit I entstanden dann die massiv befestigten Städte, die in ihrer Flächenausdehnung meist viel größer und gewaltiger befestigt waren als ihre Nachfolgestädte. Die Verteidigungsanlagen von Bet Jerach (Chirbet Kerak) gehen noch in die Frühe Bronzezeit I zurück. Es sind Ziegelkonstruktionen, die eine Breite von 8 m aufweisen und eine Fläche von 20 ha umschließen. Diese Stadtmauer blieb bis zum Ende der Frühen Bronzezeit erhalten.

Für die Frühe Bronzezeit II (ca. 2850—2650 v. Chr.) sind zwei neue Keramikarten typisch: die eine besteht aus metallisch anmutendem Material, ist dünnwandig, wurde mit einem kammartigen Gegenstand geglättet, so daß Linien in verschiedenen Richtungen entstanden und wurde bei hoher Temperatur gebrannt. Die andere ist mit Zickzacklinien, Dreiecken und Punkten rot bemalt worden. Man nennt diese gerne Abydos-Keramik, weil sie in Gräbern der 1. Dynastie in Ägypten als palästinische Importware gefunden wurde.

In der Frühen Bronzezeit II wurde z. B. die südlichste Stadt, Arad, mit einer 1170 m langen und bis zu 2,5 m breiten Stadtmauer aus Feldsteinen umgeben. Die Stadtmauer war in unregelmäßigen Abständen mit

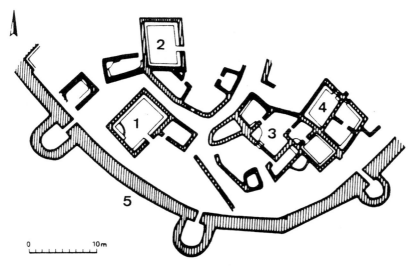

*Abb. 11   Grundriß eines Teils des frühbronzezeitlichen Arad
(Y. Aharoni, Archaeology, S. 60, Abb. 8)*

*1 = Typisches Aradhaus   2 = Haus mit Nebengebäude und Plattform
3 = Doppelhaus   4 = Doppelhaus   5 = Stadtmauer mit Rundtürmen*

halbrunden Türmen (Abb. 11) durchsetzt, die an die Außenseite der
Mauer angebaut waren.
Aus der der ummauerten Stadt vorausgehenden Siedlung stammt der
Fund einer Scherbe mit dem Namen des ersten Königs der 1. ägyptischen
Dynastie: Narmer. Aufgrund dieses Fundes kann die Siedlungsge-
schichte auf etwa 2900 v. Chr. angesetzt werden (Stratum IV). Die privaten Wohnanlagen der ältesten ummauerten Siedlung von Arad wurden eingehend untersucht. Es handelt sich um Einraum-Breithäuser mit
dem Eingang in der Mitte der Längsseite. Die Fußböden der Häuser sind
gegenüber dem Straßenniveau etwas vertieft. Die Wände entlang führen
niedrige Bänke. Nach einem Tonmodell (Abb. 12) eines solchen Hauses
zu schließen, gab es keine Fenster. Das Dach war sehr flach gehalten.
Die Häuser stehen kaum isoliert, sondern sind zu Gruppen um einen
Zentralhof angeordnet. Derartige Häusergruppen haben meist nur einen
Eingang, so daß man mit Wohneinheiten für Großfamilien rechnen
muß.

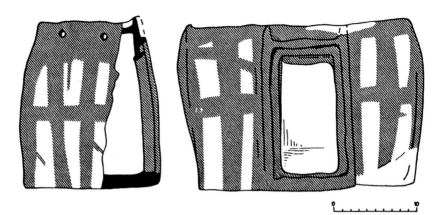

*Abb. 12   Hausmodell aus Ton, von Arad, 2850−2750 v. Chr.
(O. Keel/M. Küchler, Orte und Landschaften der Bibel, Bd. II, S. 223,
Abb. 177)*

Die Wasserversorgung in dieser trockenen Gegend, die keine Quellen und Brunnen aufweist, wurde offenbar durch eine riesige Zisterne gewährleistet, die am tiefsten Punkt des Geländes unter Ausnützung einer natürlichen Senke angelegt wurde. Diese Anlage befand sich innerhalb der Stadtmauern.

Die Stadt besaß einen Doppeltempel: zwei Breitraumhäuser. In einem davon stand ein 1 m tiefes Kultbecken.

Aufgrund der Keramik und der Kleinfunde ist ein intensiver Handel mit dem thinitischen Ägypten anzunehmen, der wahrscheinlich die ökonomische Hauptgrundlage dieser Stadt am Rande der Wüste war. Am Ende der Frühen Bronzezeit II, gegen 2650 v. Chr., hörte Arad zu existieren auf. Dies mag auf den Rückgang des Ägyptenhandels am Ende der thinitischen Zeit zurückzuführen sein?

In Tell el-Fara (N) wurde in der Frühen Bronzezeit II der schon aus der Frühen Bronzezeit I stammenden Stadtmauer aus Lehmziegeln ein terrassenförmiges Glacis vorgelagert. Das Westtor der Stadt wurde durch zwei aus der Mauer vorspringende Türme flankiert (Abb. 13). Aus dieser Stadt stammt, ebenfalls von der Frühen Bronzezeit II, der bisher älteste Töpferbrennofen Palästinas.

Eine Errungenschaft der Frühen Bronzezeit ist auch die sogenannte sich langsam drehende »Töpferscheibe«, die allerdings schon in den geflochtenen Drehmatten der Kupfersteinzeit einen Vorläufer hat.

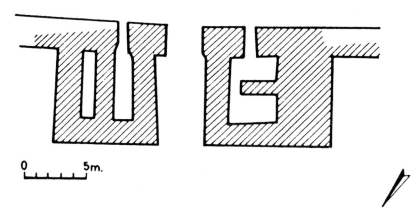

Abb. 13   Grundriß des Nordtores vom Tell el-Fara (N) Frühe Bronzezeit II
(Y. Aharoni, Archaeology, S. 73, Abb. 11)

Für die Frühe Bronzezeit III (ca. 2650–2350 v. Chr.) ist die Chirbet
Kerak-Keramik charakteristisch, eine Keramik, die aus Anatolien
stammt. Es handelt sich um handgeformte Gefäße. Die Farbe dieser
Töpfereierzeugnisse ist rot oder schwarz. Linien, Knöpfe und Tierköpfe
verzieren die Gefäße. Der palästinische Hauptfundort ist Chirbet Kerak.
Im Norden (Bet Schean, Afula) tritt diese Keramik sehr zahlreich auf,
während sie im Süden (Jericho, Ai, Gezer, Lachisch) nur sporadisch vorkommt.
Megiddo erfuhr z. B. in der Frühen Bronzezeit III große bauliche Veränderungen. Die Siedlung wurde nun gänzlich mit einer insgesamt 8 m
breiten Stadtmauer umgeben (Stratum XVII). Sie wurde aus Lehmziegeln auf einem Steinfundament errichtet und ist teilweise noch 4 m hoch
erhalten. Im heiligen Bezirk der Stadt, der schon früher ummauert war,
gab es Tempelanlagen und eine Altar-Plattform von 8 m Durchmesser
und 1,40 m Höhe. Sie wurde aus Feldsteinen errichtet und war über eine
siebenstufige Treppe erreichbar. Nordwestlich dieser Plattform wurde
nun in der Frühen Bronzezeit III eine neue Tempelanlage errichtet
(Abb. 14). Es handelt sich um drei Breitraumhäuser, deren Dach von je
zwei Pfeilern getragen wurde.
Die Frühe Bronzezeit IV (ca. 2350–2200 v. Chr.) bringt keine kulturellen Fortschritte mehr und ist im wesentlichen als sukzessiver Niedergang
der frühbronzezeitlichen Kultur zu sehen.

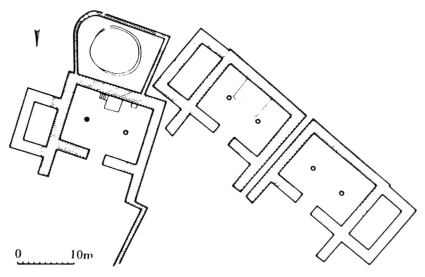

Abb. 14 Grundriß der Tempel vom Megaron-Typ aus Megiddo
(Y. Aharoni, Archaeology, S. 76, Abb. 14)

Aus dieser letzten Periode der Frühen Bronzezeit stammt das erste
schriftliche Dokument, das mit hoher Wahrscheinlichkeit Palästina
betrifft. Es handelt sich um eine Inschrift aus dem Grab des Weni aus der
Regierungszeit des Pharao Pepi I. (ca. 2300–2268 v. Chr.). Unter dem
Kommando des Weni wurden mehrere Expeditionen nach Palästina
durchgeführt, eine führte bis zur »Gazellennase«, worunter vermutlich
der Karmel gemeint ist. Es wird berichtet, daß befestigte Städte und
Siedlungen zerstört wurden. Palästina selber wird beleidigend als das
»Land der Sandbewohner« bezeichnet *(t3 ḫrjw-šᶜ)*. Der Text hat als Mit-
telstück eine Hymne auf das siegreiche ägyptische Heer:
Das Heer kehrte glücklich heim,
nachdem es das Land der Sandbewohner zerhackt hatte.
Das Heer kehrte glücklich heim,
nachdem es das Land der Sandbewohner zerstört hatte.
Das Heer kehrte glücklich heim,
nachdem es seine Festungen geschleift hatte.
Das Heer kehrte glücklich heim,
nachdem es seine Feigen und seine Weintrauben abgeschnitten hatte.

40

Das Heer kehrte glücklich heim,
nachdem es in alle seine Truppen (?) Feuer geworfen hatte.
Das Heer kehrte glücklich heim,
nachdem es sehr viele Krieger von dort als Gefangene (fortgeführt hat-
te). (AOT 80f. ANET 227f.)

Diesen Niedergang der frühbronzezeitlichen Kultur Palästinas markieren auch noch andere ägyptische Zeugnisse, Malereien in Privatgräbern, die die Belagerung und Einnahme palästinischer Städte plastisch darstellen. (Vgl. die Studie von B. Jaroš-Deckert, Das Grab des Inj-jti.f, AV 12, Mainz 1984, S. 44 ff.).
So steht am Ende der Frühen Bronzezeit die Verwüstung einer bereits hoch entwickelten Gesellschaft und ihrer Kultur. Nomadische und seminomadische Bevölkerungselemente werden wieder zum beherrschenden Element.

2. MITTLERE BRONZEZEIT
(ca. 2200−1550 v. Chr.   Abb. 15)

2.1 Mittlere Bronzezeit I (ca. 2200−2000 v. Chr.)

Die Mittlere Bronzezeit I ist eine Übergangsperiode von der Frühen zur Mittleren Bronzezeit und wird manchmal auch als »kanaanäische Zwischenzeit« bezeichnet, analog zur ersten Zwischenzeit Ägyptens. Es besteht mit der vorausliegenden Frühen Bronzezeit und Späteren Mittelbronzezeit II kaum eine Verbindung. Keramik, Waffen, Gräber und Siedlungsformen sind völlig anders. Die urbane Kultur Palästinas gibt es nun nicht mehr. Wie wir bereits sahen, hängt dieser Niedergang einerseits mit ägyptischen Expeditionen nach Palästina in der 6. Dynastie, andererseits mit einem völlig neuen seminomadischen Bevölkerungselement zusammen, das Palästina überschwemmte und die schon geschwächte und teils von Ägypten gebrochene frühbronzezeitliche Kultur ganz zum Erliegen brachte. Die kriegerischen Aktionen der 6. Dynastie dürften bereits mit diesen nomadischen Elementen zusammenhängen, die von Palästina aus Ägypten immer mehr bedrohten und unterwanderten. Doch trafen die Ägypter mit ihren Schlägen kaum die wendigen Nomaden und ihre temporären Lagerplätze, sondern vielmehr die auslaufende frühbronzezeitliche Kultur und gaben so erst recht den Nomaden freiere Hand, da sie sich nun rascher und unbekümmerter in

N

Lais

Naharia Hazor

Akko
Tel Kesan

Aschtarot

Schimon

Dor

Megiddo

Tel Burga
Tel Zeror Pehel

Tell Fara (N)

Tel Poleg

Sichem

Afek

Joppa

Javne Jam Jericho
Gezer

Jerusalem

Gat

Aschkelon

Lachisch

Tel Nagila

Tell Adschul Tell Bet Mirsim

Tel Haror

Tell Fara (S)

Tel Masos Tel Malhata

0   30 km

Abb. 15   Mittelbronzezeitliche Städte und Orte

Palästina ausbreiten konnten. Auch der geringschätzige Ausdruck »Sandbewohner« in der Inschrift des Weni deutet darauf hin, daß es wohl erste Absicht der Ägypter war, die Nomaden auszuschalten.

Diese neue Bevölkerungsschicht kam vermutlich aus dem Norden; es waren Halbnomaden, Hirten, die kaum Ackerbau betrieben und bedingt durch ihren kulturellen Entwicklungsstand zu einer urbanen Kultur noch nicht fähig waren. Ihre Siedlungen sind durchwegs temporär und weisen keine Befestigungsanlagen auf. Als Wohnungen dienten ihnen Zelte und Hütten. Sie siedelten von Galiläa bis zur Südwüste, wie auch im Ostjordanland. Gegen Ende der Mittelbronzezeit I läßt sich feststellen, daß sie gewisse Elemente der frühbronzezeitlichen Kultur assimilierten. Darauf hinweisen kann z. B. die Siedlung von Beer Jerohan, die von Steinen umzäunt war. Die Hausgrundrisse sind rechteckig und die Basen zeigen, daß Pfeiler aus Holz die Dachkonstruktion getragen haben. Hier fand man auch Töpferbrennofen und einige Kupferbarren, die auf Verarbeitung dieses Materials zu Waffen u. a. schließen lassen. In der Nähe dieser Siedlung fand sich eine mit Steinen umzäunte Plattform, die kultischen Zwecken gedient haben dürfte.

Die vorkommende Keramik besteht aus hohen, eiförmigen Krügen mit flacher Basis und weitausladendem Rand, tonnenförmigen Schalen, kleinen Töpfen mit Schnurösenhenkel. Dekoriert können die Gefäße mit geritzten Wellenlinien oder Strichen sein. Die Keramik ist sehr dünnwandig, obwohl der Ton relativ spröde ist und die Gefäße nicht gut gebrannt wurden. Der Gefäßkörper wurde mit der Hand geformt, die Ränder auf der Töpferscheibe.

Im Unterschied zur Frühen Bronzezeit gibt es jetzt keine Familiengräber, sondern Einzelgräber, in die höchstens zwei Menschen gelegt wurden. Bis auf einen einzigen Grabtypus sind die Gräber sehr klein. Die Grabkammer ist oft nur 90 bis 120 cm hoch. Die einzelnen Grabtypen könnten auf gewisse Stammesunterschiede hinweisen. Beim Keramiktypgrab (so benannt, weil als Beigaben nur Keramik aufscheint) ist ein interessantes Detail erwähnenswert. In Nischen der Gräber fand man oft viertüllige Öllampen. Die rauchgeschwärzten Nischen zeigen, daß man solche Lampen in den Gräbern anzündete, um das Haus des Toten zu erhellen. Dahinter steht bereits die Vorstellung, daß der Tote bei seinem Weiterleben in seinem Haus auch noch der lebenden Verwandten bedarf, die ihm Licht (Leben!) spenden können.

Noch vor wenigen Jahren hat man angenommen, daß es sich bei dieser seminomadischen Bevölkerung um Amoriter handelt. Die Keilschrifttexte Mesopotamiens bezeichnen die etwa seit 2500 v. Chr. aus der arabisch-syrischen Wüste kommenden Völker als »Leute von Amurru«, »Leute des Westens«. Es bleibt jedoch sehr fraglich, ob die Bevölkerung Palästinas zu dieser Zeit amoritisch, also westsemitisch war, und zwar deswegen, weil es für die folgende Mittelbronzezeit II keine Kontinuität gibt!

Die amoritische Völkerwanderung ist die zweite große semitische Wanderbewegung Vorderasiens. Es scheint mir eher, daß diese sich über ein halbes Jahrtausend erstreckende Bewegung andere semitische Hirtenvölker durch Jahrhunderte vor sich hergetrieben hat, und diese dürften Palästina in der ausgehenden Frühen Bronzezeit erreicht und unterwandert haben, ja bis Ägypten vorgestoßen sein. Sie sind aber in der Geschichte Palästinas nur eine etwa zweihundertjährige Episode, nach der sie und ihre Hirtenkultur verschwanden bzw. von den nachkommenden Westsemiten aufgesogen und überlagert wurden.

In der Lehre für Merikare, Zeile 91–98, aus der Zeit um 2040 v. Chr. werden diese palästinischen Nomaden vom Standpunkt der ägyptischen Kultur aus trefflich charakterisiert:

Siehe den elenden Asiaten! Schlimm ist der Ort, an dem er lebte; gering an Wasser, unzugänglich durch viele Bäume, und die Wege sind dort schlimm wegen der Berge. Er wohnt nicht an einem (und demselben) Ort, und seine Füße wandern hin und her? Er ist im Kampf seit der Zeit des Horus (d. h. seit jeher). Er siegt nicht, aber er wird auch nicht besiegt. Es sagt den Tag nicht an beim Kampf wie einer, der ...eine Bande... Ich habe Unterägypten sie schlagen lassen, ich habe ihre Leute gefangengenommen, ich habe ihre Herden weggenommen; ...Mache dir keine Sorgen um ihn, er ist ein Asiat... Er bestiehlt ein einzelnes Gehöft (?) aber er erobert keine volkreiche Stadt. (AOT 35)

Nicht zuletzt spricht aus diesen Zeilen die Guerilla-Taktik der Nomaden Palästinas gegenüber den wohlorganisierten Streitkräften Ägyptens.

2.2 Mittlere Bronzezeit II (ca. 2000–1550 v. Chr.)

2.2.1 *Mittlere Bronzezeit II A (ca. 2000–1800 v. Chr.)*

Für die Mittlere Bronzezeit II A stehen nun erstmals ausführliche schriftliche Quellen aus Ägypten über Palästina zur Verfügung. Diese Periode fällt zum Großteil mit der 12. Dynastie Ägyptens (ca. 1991–1785 v. Chr.) zeitlich zusammen. Der erste Herrscher dieser Dynastie, Amenemhet I. (ca. 1991–1971/62), ließ einen Festungsgürtel gegen Palästina hin im östlichen Teil des Wadi Tumilat anlegen, um eine massive Verteidigungslinie gegen eindringende Nomaden zu haben. Nach zwanzigjähriger Herrschaft überließ der König seinem Sohn Sesostris I. (ca. 1971–1929/26) den Thron. 1962 v. Chr. wurde Amenemhet I. ermordet. Doch sein Sohn Sesostris I. konnte die Revolte niederschlagen. Aus der Zeit dieser innerägyptischen Wirren stammt der Sinuhe-Roman, eine im autobiographischen Stil gehaltene Erzählung eines ägyptischen Offiziers mit Namen Sinuhe. Er mußte aus Ägypten ins obere Retenu (Palästina) fliehen und kehrte erst als alter Mann nach Ägypten zurück. Trotz der romanhaften Züge dieser Erzählung erhalten wir aber dennoch Aufschluß über das Palästina dieser Zeit.

Sinuhe flieht über den östlichen, von Amenemhet I. angelegten Festungsgürtel und schließt sich einer Karawane nach Palästina an. Er kommt nach Byblos und begibt sich dann eincinhalb Jahre in eine Gegend östlich von Palästina, bis er beim Herrscher des oberen Retenu, Anuni-ensi, Aufnahme findet. Er kann sich in Araru, wahrscheinlich das Jarmuk-Tal, niederlassen (AOT 55–61, ANET 18–22).

Es wird in dieser Erzählung kaum von Städten gesprochen, sondern von halbnomadischen Stämmen, die in Zelten wohnen und große Herden haben. Der Einfluß Ägyptens ist zwar in Palästina noch immer zu spüren – es gibt Menschen, die die ägyptische Sprache verstehen – aber keine ägyptische Oberhoheit. Es werden Herrscher und ihre Territorien genannt: Maki von Qedem, Chenti-Tausch von Südkusch und Menus vom Land Fenchu. Fenchu dürfte Phönikien oder eine seiner Regionen sein, Kusch ist im südlichen Transjordanien und im Negev, Qedem ist eine Wüstenregion östlich von Syrien und Palästina.

Die wichtigsten Texte sind jedoch die Ächtungstexte aus dem 20. und 19. Jh. v. Chr. (W. Helck, Beziehungen S. 44–67). Unter Ächtungstexten versteht man die Namen feindlicher Regionen, Stämme, Städte und Fürsten, die auf Tongefäße oder die die Feinde darstellenden Figurinen geschrieben wurden und an heiliger Stätte in einem feierlichen Ritus zerschlagen wurden. Der magische Ritus sollte gewährleisten, daß es den Feinden ebenso wie den Gefäßen bzw. Figurinen ergehen möge.

Die erste, ältere Gruppe aus dem späten 20. Jh. v. Chr. ist auf Tonscherben erhalten. Es werden ca. 20 Namen von Regionen und Siedlungen Palästinas angeführt, denen je zwei bis drei Fürsten zugeordnet sind (Abb. 16).

Die jüngere Gruppe vom Anfang des 19. Jh. v. Chr. ist auf Tonfiguren feindlicher Fürsten geschrieben. Den Städten und Regionen wird nur je

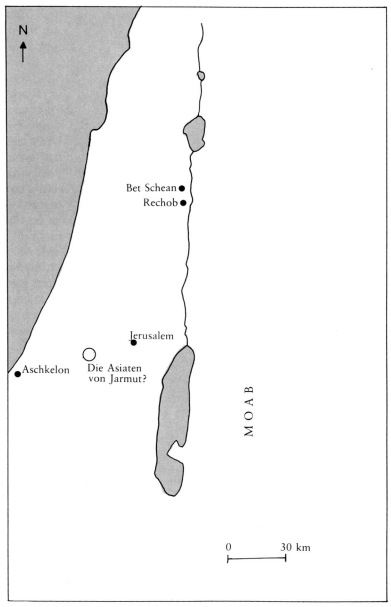

*Abb. 16   Städte und Regionen, die in den älteren Ächtungstexten
genannt sind*

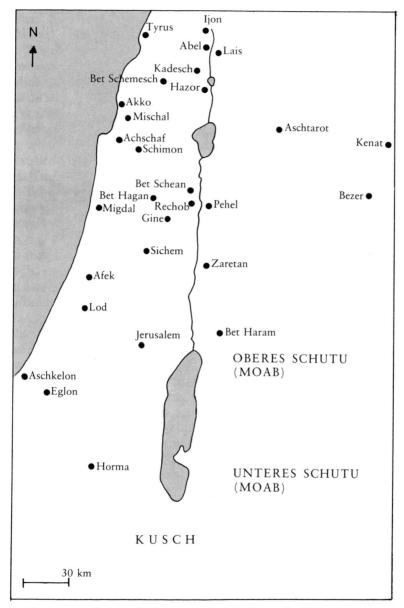

N

Ijon
Tyrus
Abel · Lais
Kadesch
Bet Schemesch
Hazor
Akko
Mischal
Aschtarot
Achschaf
Kenat
Schimon
Bet Schean
Bet Hagan
Bezer
Migdal Rechob Pehel
Gine
Sichem
Zaretan
Afek
Lod
Jerusalem Bet Haram
OBERES SCHUTU
(MOAB)
Aschkelon
Eglon

Horma UNTERES SCHUTU
(MOAB)

KUSCH

30 km

*Abb. 17   Städte und Regionen, die in den jüngeren Ächtungstexten
genannt sind*

ein Fürst zugeordnet (Abb. 17). Zwischen beiden Textgruppen bestehen Unterschiede: Die Zuordnung von zwei oder drei Fürsten zu Regionen in der älteren Gruppe und die von nur einem Fürsten in der jüngeren Gruppe zeigen, daß in der ersten Hälfte der Mittelbronzezeit II A die Sozialstruktur Palästinas noch eher seminomadisch war, während einige Jahrzehnte später der Urbanisierungsprozeß so weit fortgeschritten war, daß für eine Stadt nur ein Fürst genannt werden konnte. Aber auch in der jüngeren Gruppe werden neben den Städten noch Regionen genannt wie das in ein oberes und unteres Moab geteilte Gebiet, ferner Kusch, das Gebiet eines Stammes der Midianiter im Ostjordanland und im Negev. Das heißt, daß das nomadische Element weiterlebt, ein Phänomen, das uns in der gesamten Geschichte Palästinas begegnet.

Die Namen, der den Regionen und Städten zugeordneten Stammeshäuptlinge bzw. Fürsten sind alle amoritisch, westsemitisch, was zeigt, daß die amoritische Völkerwanderung in Palästina schon zu ihrem Ende gekommen ist, die seminomadischen Stämme schon ihre fixen Territorien haben und die Amoriter, die man in Palästina ab jetzt Kanaanäer bezeichnen kann, in den Städten die Elite stellen.

Vom 6. Regierungsjahr König Sesostris' II. (etwa 1891 v. Chr.) ist im Grab des Chnum-hotep, Oberbefehlshaber der nordöstlichen Kommandostelle Ägyptens, Beni Hassan, eine interessante Szene auf einer Wandmalerei erhalten. Der Schreiber des Chnum-hotep übergibt diesem die Meldung, daß 37 Asiaten unter der Führung des Abi-sar *(Ibš3)*, der den Titel *ḥḳ3 ḥ3śt*, Herrscher eines Fremdlandes, trägt, eingetroffen sind. Sie kommen aus dem Land Moab und bringen Augenschminke nach Ägypten. Die Asiaten von Moab sind deutlich als Kleinviehnomaden erkennbar (Esel, Schafe). Sie tragen bunte Kleider und Sandalen. Der Schmuck der Frauen besteht aus Fußringen und Haarbändern. Ihre Waffen sind Bogen, Speer, Axt und Wurfholz (AOB 51).

Schon in der Sinuhe-Erzählung kommt zum Ausdruck, daß es Beziehungen zwischen Ägypten und Palästina im 20. Jh. v. Chr. gegeben hat, die Ächtungstexte zeigen weiter, daß man bemüht war, zumindest eine magische Kontrolle über Palästina auszuüben, war aber kaum bestrebt, aus Palästina eine ägyptische Provinz zu machen. Abgesehen vom Türkisabbau im Südsinai, den das Mittlere Reich wiederaufgenommen hatte, war man bemüht, die beiden großen Durchgangstraßen, die *via maris* und die Königsstraße, durch das Landesinnere zu sichern. Der Sicherung dieser wichtigen Handelswege diente vermutlich auch ein Feldzug König Sesostris' III. (1878−1842/40 v. Chr.), der auf der Chu-Sebek-Stele festgehalten ist (ANET 229). Der Feldzug erreichte die mittelpalästinische Stadt Sichem. Die Ägypter rühmen sich, daß Sichem und das »elende Retenu« gefallen seien. Doch wie der ägyptische Text selber zugibt, gestaltete sich der Rückzug unter dauerndem Druck von Guerillaangriffen auf die ägyptische Nachhut, die Chu-Sebek befehligte.

Ferner weisen auch die Funde dreier Statuenfragmente hoher ägyptischer Beamter aus Tell Adschul, Gezer und Megiddo zumindest auf enge Handelsbeziehungen hin. In diesen drei Städten – vielleicht auch in anderen – hat es offenbar ägyptische Handelsmissionen gegeben, die zeitweilig von hohen königlichen Beamten besucht wurden. Um aber ihre andauernde Präsenz und Wirkmächtigkeit magisch zu sichern, könnte man ihre Statuen aufgestellt haben, wie z. B. in Megiddo die Statue des *Ḏḥwtj-ḥtp* (lebte etwa von 1929–1843 v. Chr.), aus dessen Grabinschriften in Bersche zwar nicht *ad verbum* hervorgeht, daß er in seinem Leben etwas mit Megiddo zu tun hatte, aber dennoch, daß er mit ausländischen Angelegenheiten befaßt war.

Das von der Archäologie gewonnene Bild der materiellen Kultur der Mittelbronzezeit II A ergänzt weiter das Geschichtsbild. Die Staatsform Palästinas ist weiterhin der Stadtstaat, der über ein begrenztes Territorium mit Satelittendörfern verfügt. Keramik, Waffen, Architektur und Bestattungsbräuche bestätigen das neue westsemitische Bevölkerungselement.

Das bisher gebräuchlichste Material für Waffen, Kupfer, wird durch Bronze ersetzt. Typisch sind kurze, breite Dolche, schmale Äxte und Tüllenspeerspitzen.

Die Keramik ist nun vollständig auf der schnell zu drehenden Töpferscheibe erzeugt. Nur die groben Kochtöpfe werden weiterhin mit Hand geformt. An Formen herrschen vor: Krüge mit Spitzbögen und Schlingenhenkel, Schalen mit scharf gekanteten Formen, einhenkelige Schöpfkännchen. Die Gefäße haben einen hochpolierten dunkelroten Überzug. Die Toten bestattete man in großen Familiengräbern, Grabhöhlen, vereinzelt gibt es daneben auch die Bestattung unter Hausfußböden.

Die ehemaligen Städte der Frühen Bronzezeit werden neu besiedelt, neue wie Sichem, Tell Zeror, Tell Poleg und Jerusalem gegründet. Es sind anfangs noch offene Siedlungen, die sich jedoch rasch zu befestigten Städten entwickeln. Megiddo erhielt z. B. eine 1,80 m starke Ziegelstadtmauer, die auf einem Steinfundament ruhte (Stratum XIII A). Parallel dazu verlief im Inneren eine Ringstraße. In Stratum XII verstärkte man diese Stadtmauern und durchsetzte sie mit Türmen. Das Stadttor hatte einen gewinkelten Zugang. Neben privaten Wohnhäusern gab es einen Palast und eine Kulthöhe.

Tel Bet Mirsim erhielt eine 3,25 m starke Stadtmauer, Sichem wurde
durch eine 2,5 m dicke Ziegelstadtmauer, die auf einem Steinfundament
ruhte, umgeben. Gegen Ende der Mittelbronzezeit II A wurde Lais (Tel
Dan) mit gewaltigen Befestigungsanlagen umbaut. Das Stadttor war an
der Südostecke. Der Torkomplex ist 15,5 m breit und noch heute bis zu
7 m hoch erhalten. Der steingepflasterte Durchgang mißt 5,15 m und
wird von je einem 5,15 m breiten Turm flankiert. Der etwas nach hin-
ten versetzte Durchgang ist als Torbogen mit drei radialen Lagen kon-
struiert, so daß ein Gewölbe mit einer Spannweite von 2,40 m entsteht
(Abb. 18).
Wie diese gewaltige Toranlage, so ist auch die Stadtmauer aus Lehmziegeln erbaut. Verstärkt wurden die Stadtmauern noch durch Erdwälle an
jeder Seite. Die Verteidigungsanlagen waren dann ca. 6,5 m breit und
erreichten eine Höhe von 10 m.

Abb. 18   Rekonstruktion der Mittelbronzezeitlichen Toranlage von Dan
(A. Biran, BA 44 [1981], S. 139)

2.2.2 Mittlere Bronzezeit II B (ca. 1800–1550 v. Chr.)

Zwischen der Mittelbronzezeit II A und B gibt es keinen Kulturbruch; die Periode B ist vielmehr eine kontinuierliche Weiterentwicklung, wie man sie z. B. in Keramik und Architektur feststellen kann. Den Übergang zu neuartigen Befestigungsanlagen haben wir bereits bei Tel Dan verfolgt.

In Hazor setzt mit der Mittleren Bronzezeit II B eine rapide Stadtentwicklung ein. Auf der westlichen Seite des Tells (Oberstadt) entstanden die Palast- und Tempelanlagen, umwallt von einer 7,5 m breiten auf Steinfundamenten ruhenden Lehmziegelmauer. Der Tempel ist ein südöstlich orientiertes Langhaus; im Norden entstand der Orthostatentempel, ein südöstlich orientiertes Breithaus. Die Unterstadt umgab eine Mauer aus Basalt, Lehmziegeln und Stampferde mit mindestens zwei Toranlagen. Diese Stadtmauern waren an der Basis bis zu 50 m ! breit und hatten eine Höhe von ca. 10 m. Die umwallte Stadt erreichte eine Ausdehnung von 71 ha (71 000 m²). Ein solches Ausmaß erreichte keine Stadt Palästinas weder während der Mittleren Bronzezeit II B noch später. Das Hazor dieser Periode spielte eine bedeutsame wirtschaftliche und politische Rolle, so daß es auch öfters in Mari-Texten genannt wird. Von Hazor werden Botschafter über Mari nach Babylon gesandt. Ein Text berichtet von Geschenken, die der König von Hazor nach Kaptara (Kreta?) und Ugarit schickt. Die Texte sprechen davon, daß Hazor im Land Amurru liegt. Es ist vermutlich der Schluß gerechtfertigt, daß Hazor ein Zentrum von »Amurru« war. Der Terminus bezeichnet in den Mari-Texten Palästina und die südlichen Teile Syriens. Das nördliche Zentrum war die Stadt Qatna. Der im Prinzip gleiche Typ von Befestigungsanlagen begegnet uns in allen wichtigen Städten Palästinas.

In der mittelpalästinischen Stadt Sichem setzt die rapide Entwicklung etwas später ein, um ca. 1650 v. Chr. Die Stadt wurde sukzessive mit zwei parallelen Mauern aus kyklopischen Steinen – oft bis 1,5 m lang – umfaßt. Sowohl die äußere als auch die innere Mauer war je 4 m breit. Der Zwischenraum wurde mit Erde gefüllt und gepflastert, so daß eine Gesamtbreite von 16 m entstand. Die Höhe betrug ca. 10 m (teils noch heute so hoch erhalten).

Als Zugänge dienten das Nordwest-Tor und das Ost-Tor. Das Nordwest-Tor ist eine vierkammrige Anlage, flankiert von zwei Türmen. Als Fundament für diese Toranlage dienten 6 m tief in die Erde eingelassene Blöcke, so daß eine Untergrabung fast ausgeschlossen werden konnte. Das Tor ist 18 m lang, 16 m breit; die Türöffnung ist 2,6 m breit (vgl. Abb. 19).

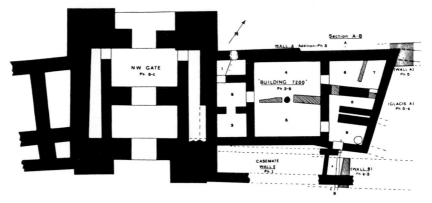

Abb. 19 Grundriß des sichemitischen Nordwesttores mit angrenzenden Gebäuden, Mittlere Bronzezeit II B (K. Jaroš, Sichem, Abb. 49)

Unweit des Nordwest-Tores wurde die neue Tempelanlage errichtet, der sogenannte Festungstempel, ein Langhaus, das auf einer gewaltigen Erdaufschüttung ruht. Der Tempel hatte die Ausmaße von 26,30 mal 21,30 m und war südöstlich orientiert. Seine Mauerstärke betrug

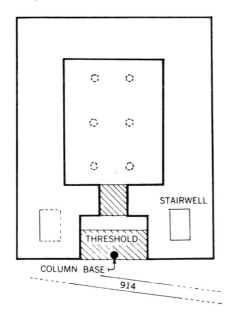

Abb. 20 Grundriß der ersten Phase des sichemitischen Festungstempels der Mittleren Bronzezeit II B (K. Jaroš, Sichem, Abb. 63)

Abb. 21   Rekonstruktion des sichemitischen Festungstempels der Mittleren
Bronzezeit II B (K. Jaroš, Sichem, Abb. 64)

5,10 m (Abb. 20). Das Dach des Tempels trugen zwei Reihen von je drei
kannelierten Säulen. Die Eingangshalle des Tempels war 5 m tief. Vor
dem Tempel war ein Hof mit Altar. Der Tempel selber war von zwei
Türmen flankiert (Abb. 21).
Die Privathäuser zeugen vom Wohlstand dieser Zeit. Eines hatte z. B.
eine Länge von 18,5 m, bestand aus Vorraum, Hof und einem großen
Raum; ein Obergeschoß ist anzunehmen.
Beispiele für vornehmes Wohnen zeigen auch Villen von Tell Bet Mir-

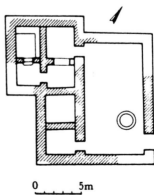

Abb. 22   Grundriß einer Villa aus
Tell Bet Mirsim, Mittlere Bronzezeit II B
(Y. Aharoni, Archaeology, S. 108, Abb. 24)

0 _____ 5m

53

sim, bestehend aus Hof und dahinter zwei Reihen von Räumen
(Abb. 22).

Bezüglich dieser hohen mittelbronzezeitlichen IIB Kultur stoßen wir auf
das Phänomen, daß wir sie nicht nur in Palästina und bis weit in den
syrischen Raum hinein treffen, sondern bis in das östliche Nildelta verfolgen können. In den Städten östlich des Pelusischen Nilarmes wie Tell
el-Daba (Auaris), Tell Farascha, Tell es-Sahaba, Bubastis, Ghita, Inshas
und Tell el-Jahudije (Abb. 23) stoßen wir praktisch auf die gleiche Kultur, wenngleich natürlich der ägyptische Einfluß hier größer als sonstwo
in Palästina ist.

Trotz dieser Hochkultur existierte in Palästina eine seminomadische
Kultur weiter, wenn auch nur in den Randzonen. Bei Bet Schemesch

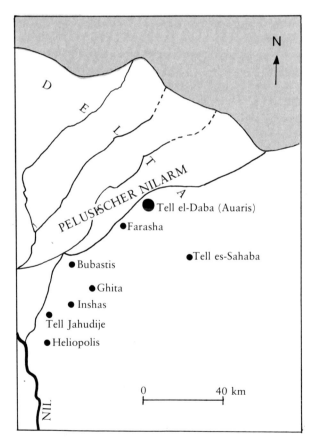

Abb. 23
Die Hyksos-Städte
östlich des
Pelusischen Nilarmes

fand man z. B. vor wenigen Jahren ein Dorf mit dem Typ des Hofhauses. Die Häuser haben ein Ausmaß von 8mal 7 m, die Mauern sind aus Lehmziegeln über Steinfundamenten errichtet. In der Nähe war ein offenes Heiligtum mit Kultsteinen. Dieses Dorf war nur etwa 50 Jahre lang bewohnt. Es dürfte sich um eine temporäre Siedlung von Halbnomaden gehandelt haben.

Besonders auffällig ist für die Mittlere Bronzezeit IIB, daß in Palästina Tausende von Skarabäen auftauchen, Stempelsiegel mit Amulettfunktion, deren Rücken dem heiligen ägyptischen Mistkäfer nachgebildet ist und in dessen Basis charakteristisches Design, Hieroglyphen, auch Pseudohyroglyphen, eingraviert sind. Solche Skarabäen wurden auch direkt in Palästina hergestellt und nicht nur aus Ägypten importiert.

Wenn wir von der mehrmaligen Nennung Hazors in Mari-Texten absehen, so stehen uns für die Mittlere Bronzezeit IIB keine literarischen Quellen zur Verfügung. Der unerhörte Aufschwung, den die palästinische Kultur jedoch in dieser Zeit nahm, muß seine Ursachen haben.

Am Ende der 12. Dynastie (ca. 1785 v. Chr.) liegt Ägypten in politischer wie militärischer Ohnmacht. Eine massive Unterwanderung kanaanäischer Elemente aus Palästina ist die Folge. Bis 1715 v. Chr. kann sich die 13. Dynastie in Unterägypten halten, dann geht es an Lokalfürsten verloren (sog. 14. Dynastie). Unter diesen Lokalfürsten befinden sich bereits Semiten, die den Prozeß der Unterwanderung nur weiter fördern. Um ca. 1650 v. Chr. besetzt der asiatische Söldnerführer Schalik die Hauptstadt Ägyptens: Memphis. Es beginnt in der Geschichte Ägyptens die zweite Zwischenzeit, die Hyksoszeit. Hyksos ist die gräzisierte Form des ägyptischen Begriffes ḥḳ3 ḫ3śwt »Herrscher der Fremdländer«, ein Terminus, der auch schon früher in Ägypten für ausländische Herrscher begegnet, der nun aber seine programmatische Bedeutung erhielt für Ausländer, die als Könige in Ägypten herrschen. Für Ägypten kann man also etwa ab 1650 v. Chr. von der Hyksoszeit sprechen. Die Hauptstadt der Hyksos war Auaris, vermutlich Tell el-Daba. Unter- und Mittelägypten waren Vasallen; Oberägypten blieb selbständig, war jedoch tributpflichtig. Ihr eigentlicher Herrschaftsbereich war Palästina und das südliche Syrien. Es handelte sich jedoch nicht um ein organisiertes und einheitliches Reich, sondern um eine Art Verband selbständiger Stadtstaaten, für die die in Auaris herrschenden Könige eher gleichrangige denn autokratische Herrscher gewesen sind. Manche Städte Palästinas weisen für diese Zeit auch mehrmalige Zerstörungen auf, was auf Kriegshandlungen innerhalb der einzelnen Stadtstaaten schließen läßt. Einer der bedeutendsten Hyksoskönige war Apophis (ca.

Abb. 24   Drei Skarabäen des Pharao Apophis vom Tell Adschul
(O. Keel/M. Küchler, Orte und Landschaften der Bibel, Bd. II, S. 99, Abb. 87)

1594/91 – 1553/50 v. Chr.). dessen Name z. B. auch auf Skarabäen vom Tell Adschul (Abb. 24) belegt ist.

Vom Standpunkt der Geschichte Palästinas ist aber das Jahr 1650 v. Chr. schon Endpunkt einer Entwicklung, die um 1800 v. Chr. begonnen hatte: Fortführung der kanaanäischen Kultur unter neuen Gesichtspunkten in bezug auf Verteidigungsanlagen der großen Städte und Technik der Kriegsführung: die Einführung des vom Pferd gezogenen Streitwagens. Ein Pferdeskelett (bestattet zusammen mit einem Menschen!) wurde z. B. in Tell Adschul und Pferdezähne auf Tell el-Daba gefunden. Ob man allerdings aufgrund dessen die Hyksos mit der hurritischen Adelsklasse der Marjannu, Streitwagenlenker, in Verbindung bringen darf, sei verneint. Die Namen der Hyksosherrscher lassen sich vielfach kanaanäisch erklären. Es handelt sich doch wohl um Kanaanäer, die sich für 100 Jahre zu Pharaonen aufgeschwungen haben. Aber die kanaanäische Kultur dieser Zeit hat zweifellos Anstöße von Außen erhalten. Die Hurriter, ein nichtsemitisches Volk, begannen sich etwa ab dem 18. Jh. v. Chr. mit der Bevölkerung des oberen Eufrat und Nordsyriens zu vermischen. Der hurritische Druck dürfte dann zwischen 1750 und 1500 v. Chr. noch größer geworden sein. Insofern haben die Hurriter ihren Beitrag zur Mittleren Bronzezeit II B Palästinas geleistet: neue Verteidigungsanlagen, neue Kriegstechnik. Doch die Annahme, die hurritische Führungsschicht sei indoarischer Adel gewesen, entspringt einer heute längst überholten Ideologie. Zwischen Indoariern und Hurritern hat es mögliche Kontakte im 3. Jt. v. Chr. gegeben, aber kaum mehr, und das indoarische Element im späteren mitanni-hurritisch ist als Sprachfossil aufzufassen, das auf diese frühen Kontakte hinweist.

Für die Mittelbronzezeit II B ist es auch ganz unwahrscheinlich, daß die Hurriter die tragende Adelsschicht der kanaanäischen Kultur gewesen waren. Wirklicher hurritischer Einfluß (Kleinkunst, Namen etc.) wird uns erst in der Späten Bronzezeit in Palästina begegnen.

Gegen Ende der 17. Dynastie in Oberägypten sammeln sich neue Kräfte, um zum Kampf gegen die Hyksos anzutreten. Doch erst König Ahmose, dem Gründer der 18. Dynastie und damit des Neuen Reiches gelingt der Durchbruch etwa zwischen 1550 und 1540 v. Chr. In mehreren Feldzügen bis weit nach Palästina hinein werden die Hyksos zurückgedrängt. Trotz ihrer äußerst massiven Befestigungsanlagen wurden viele Städte Palästinas in Schutt und Asche gelegt. In Sichem war z. B. die zweimalige Zerstörung so radikal, daß die Stadt ca. 100 Jahre lang unbesiedelt blieb.

So endet die Mittelbronzezeit II B in Zerstörung; nicht gebrochen wurde jedoch die kanaanäische Kultur. Sie geht fast ohne Bruch in die Späte Bronzezeit über.

3. SPÄTE BRONZEZEIT
(ca. 1550—1200 v. Chr.   Abb. 25)

Der letzte Abschnitt der kanaanäisch dominierten Kultur Palästinas zerfällt in die Späte Bronzezeit I, II A und II B. Die Geschichte dieser Zeit ist so eng wie nie zuvor und nie mehr danach mit Ägypten verknüpft. Für Abschnitte der Späten Bronzezeit I ist es fast gerechtfertigt, von einer ägyptischen Provinz Kanaan zu sprechen.

3.1 Späte Bronzezeit I (ca. 1550—1400 v. Chr.)

Der Einfluß, den Ägypten nun auf Palästina ausübt, ist unterschiedlich intensiv. Ahmose ging es einmal grundsätzlich darum, die Hyksosherrschaft im Ostdelta vollkommen zu brechen und ihre wichtigen Bastionen in Palästina zu vernichten. Eine vollkommene Unterwerfung Palästinas war jedoch entweder nicht beabsichtigt oder noch nicht möglich. Gaza wird der östlichste Stützpunkt Ägyptens gegen Palästina hin. Die Nachfolger Königs Ahmose kümmern sich dann wenig um Palästina. Man begnügte sich offensichtlich auch damit, daß die kanaanäischen Stadtfürsten die Oberhoheit Ägyptens anerkannten. Die ägyptische Außenpolitik war nun vielmehr gezwungen, sich auf das neu entstandene hurritische Reich: Mitanni zu konzentrieren, das sehr früh eine beängstigende Expansionspolitik begann. Unter Tutmosis I. (ca. 1508/05—1493 v. Chr.) kommt es zum ersten Krieg gegen Mitanni. Syrien-Palästina ist noch ruhig und erkennt weithin die ägyptische Vor-

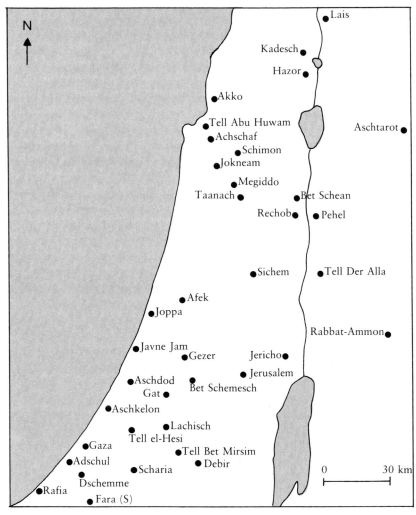

N

Lais

Kadesch

Hazor

Akko

Tell Abu Huwam

Aschtarot

Achschaf

Schimon

Jokneam

Megiddo

Taanach

Bet Schean

Rechob

Pehel

Sichem

Tell Der Alla

Afek

Joppa

Rabbat-Ammon

Javne Jam

Gezer

Jericho

Jerusalem

Aschdod

Bet Schemesch

Gat

Aschkelon

Lachisch

Tell el-Hesi

Gaza

Tell Bet Mirsim

Adschul

Debir

Scharia

0   30 km

Dschemme

Rafia

Fara (S)

Abb. 25   Spätbronzezeitliche Städte

rangstellung an. Doch Mitanni versucht nun, seinen Einfluß auf Syrien-
Palästina auszuweiten. Bis zu einem gewissen Grad mag das gelungen
sein. Die ägyptische Königin Hatschepsut (1490−1470/68 v. Chr.) gibt
praktisch ihren Anspruch auf Palästina auf. Als Tutmosis III.

(1490–1439/36 v. Chr.) um 1470 seine Königsherrschaft antritt, ist die Lage für Ägypten bereits so gefährlich, daß er im April 1468 v. Chr. seine Armee Richtung Palästina in Marsch setzt. Es stehen mitannische Truppen und eine Streitmacht von 330 syrischen und palästinischen Fürsten bei Megiddo bereit, eine großangelegte Offensive gegen Ägypten einzuleiten. Die Koalitionstruppen stehen unter dem Kommando des Fürsten von Kadesch am Orontes und des Fürsten von Megiddo. Durch ägyptische Texte sind wir über den Verlauf des Feldzuges gut informiert. Bis Gaza rückte das Heer in einem Tempo von 25 km pro Tag vor, dann – da nach Gaza das ägyptische Einflußgebiet bereits aufhörte – langsamer. Über Afek nahm das Heer seinen Weg nach Megiddo (Abb. 26). Auf diese schnelle Reaktion der Ägypter war die syro-palästinische Koalition nicht gefaßt. Ironisch bemerken die ägyptischen Texte:
Man zog den elenden Feind von Kadesch und den elenden Feind dieser Stadt (= Fürst von Megiddo) strampelnd hinauf, um sie ihre Stadt erreichen zu lassen. Furcht vor seiner Majestät war in ihre Glieder gefahren.
(AOT 85 ANET 236).

Alles, was konnte, rettete sich nach Megiddo, so daß den Ägyptern die ganze Ausrüstung etc. blieb. Zur Schlacht kam es jedoch nicht. Tutmosis belagerte Megiddo sieben Monate, bis die Kleinkönige einsahen, daß sie chancenlos waren und sich ergaben. Der ägyptische Text bemerkt voller Genugtuung:
Die Herrscher dieser Fremdländer kamen auf ihren Bäuchen, um die Erde vor der Macht seiner Majestät zu küssen und Atem für ihre Nasen zu erbitten.
(AOT 86 ANET 237)

Tutmosis reagierte äußerst klug. Es wurden nur die Anführer abgesetzt, die restlichen Fürsten aber begnadigt. Sie mußten dem König den Treueid leisten:
»Wir wollen in unserer Lebenszeit nicht wieder gegen Tutmosis III., unseren guten Herrn, rebellieren.«
(W. Helck, Beziehungen 136)

Die Kinder der Fürsten gingen für gewöhnlich als Geiseln an den ägyptischen Hof, wo sie im entsprechenden politischen Geist erzogen wurden. Nach dem Tod ihres Vaters schickten die Pharaonen sie als Fürsten in ihre Heimat zurück, wo von ihnen erwartet wurde, daß sie eine von Ägypten abhängige Politik machen. Durch diese Milde konnte sich der Pharao vielmehr als durch Strenge treue Vasallen schaffen. Nach diesem Feldzug ist Palästina absolut fest in ägyptischer Hand. Alle weiteren fünfzehn Asienfeldzüge Tutmosis' III. richten sich daher nicht mehr gegen Palästina, sondern gegen Syrien und Mitanni.

Die topographischen Listen, die die Ägypter im Zusammenhang mit den Asienfeldzügen angelegt haben, geben hervorragend Einblick in die städtische Struktur Palästinas. Es sind über 110 Städtenamen und Regionsbezeichnungen für Palästina erhalten (W. Helck, Beziehungen 121 f. 126–132.). Abb. 26 zeigt die Lage dieser Städte und Regionen, soweit sie identifizierbar sind.

Der Sohn und Nachfolger Tutmosis' III., Amenophis II. (1439–1413 v. Chr.), führte drei militärische Asienexpeditionen durch, aber nur die in seinem 9. Regierungsjahr betrifft direkt Palästina. Sie führte in das Gebiet des Karmel und der Jesreel-Ebene. Die Ursachen für diesen Feldzug sind nicht bekannt, vermutlich hängen sie mit rebellierenden Stadtfürsten zusammen. Aufschluß über die palästinische Bevölkerung ergibt sich aus Listen der Kriegsgefangenen. In einer abschließenden Liste werden z. B. folgende Gruppen aufgezählt:

Große Palästinas	127
Brüder der Großen	179
Apiru	3600
Schasu	15200
Ḥaru	36300
Neges	15700
zu ihnen Gehörige	30653
zusammen	89600

(Urk IV 1308 f. ANET 247)

Grundsätzlich ist zu sagen, daß wir hier politisch motivierte Zahlenangaben vor uns haben. Sie sind sicherlich zu hoch. Die Gruppe der Neges muß man ausscheiden, da es sich um eine Bevölkerung Nordsyriens handelt. Unter Haru sind Kanaanäer gemeint. Die Bevölkerung Kanaans war zu dieser Zeit schon hurritisch durchsetzt, mehr aber wohl politisch und kulturell von den Hurritern beeinflußt, so daß die Ägypter Palästina auch »Ḥaru« bezeichnen konnten. Schasu sind die Nomadenstämme in den südlichen Regionen Palästinas. Apiru (in den Keilschrifttexten Habiru) ist die Bezeichnung einer minderen sozialen Klasse, die sich aus den verschiedensten ethnischen Elementen zusammensetzen kann. Es können Vagabunden, wilde Horden, Sklaven, fremde Söldner, aber wohl auch die Schasu so tituliert werden. Unter den Großen (ägyptisch: *wr*) könnte man kanaanäische Fürsten verstehen. Unabhängig von der

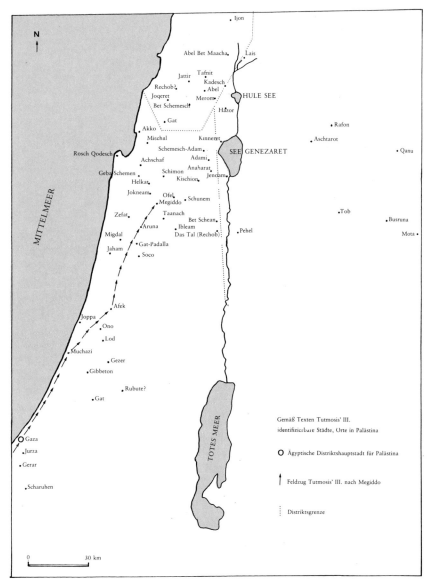

N

· Ijon

Abel Bet Maacha· · Lais

Jattir Tafnit
· ·
Rechob? · Kadesch
Joqeret · · Abel · HULE SEE
Bet Schemesch· Merom·
· Gat Hazor
Akko · Rafon
Mischal Kinneret · Aschtarot · Qanu
Rosch Qodesch Schemesch-Adam·
Achschaf · Adami· SEE GENEZARET
Geba Schemen Anaharat·
Schimon · Jencam·
Helkat· Kischion·
Jokneam· · Tob
Ofel · · Busruna
Zefat· Megiddo · Schunem Mota·
Taanach
Aruna· Bet Schean·
Migdal Ibleam · Pehel
Jaham Das Tal (Rechob)·
· Gat-Padalla
· Soco

Afek·
Joppa
· Ono
· Lod
· Muchazi
· Gezer
· Gibbeton
· Rubute?
· Gat

Ⓞ Gaza
· Jurza
· Gerar

· Scharuhen

MITTELMEER

TOTES MEER

Gemäß Texten Tutmosis' III.
identifizierbare Städte, Orte in Palästina

Ⓞ Ägyptische Distrikthauptstadt für Palästina

↑ Feldzug Tutmosis' III. nach Megiddo

⋮ Distriktsgrenze

0   30 km

Abb. 26   Palästina zur Zeit Tutmosis' III.

Größenordnung der Zahlen zeigt die Liste dennoch interessante Gewichtungen. Die Kanaanäer machen rund 66%, die Schasu 27,5%, die Apiru 6,5% aus. Man kann diese Zahlen sicherlich nicht einfach auf die Bevölkerung Palästinas des 15. Jh. v. Chr. übertragen. Aber es läßt sich doch feststellen, daß das nomadische Element ein gewichtiger Faktor gewesen sein muß. Die Apiru sind zwar noch gering, aber ihr Einfluß ist nicht zu unterschätzen, wie dann die Amarnazeit lehren wird.

Noch vor dieser Endaufstellung nennt der ägyptische Text andere Kriegsgefangene, und zwar 17 Marjannu, also eine spezielle Klasse adeliger hurritischer Wagenlenker. Auffällig ist die kleine Zahl; denn vom Syrienfeldzug Amenophis' II. in seinem 7. Jahr zählt er 550 Marjannu auf! (ANET 246) Wir können daraus schließen, daß der hurritische Adel zwar im 15. Jh. v. Chr. in Palästina schon Fuß gefaßt hatte, aber nicht dominierend war wie in Syrien.

Die ägyptische Dominanz über Palästina unter Tutmosis III. und Amenophis II. bezeugen u. a. auch die in Taanach gefundenen Keilschrifttafeln in akkadischer Sprache. Es sind Briefe, die der ägyptische Kommandant von Gaza, Amen-hotep, an den Fürsten von Taanach geschickt hat, damit er verschiedenes Material und Menschen nach Gaza und Megiddo sendet.

In kulturgeschichtlicher Hinsicht ist die Späte Bronzezeit I als eine der wichtigsten Perioden der Menschheitsgeschichte anzusprechen. Hier gelang es, ein einfaches Alphabet anzuwenden, das Mutter aller späteren Alphabetschriften werden sollte. Zwar entstanden etwa zu derselben Zeit im syro-palästinischen Raum auch andere Alphabetschriften wie etwa das Keilschriftalphabet von Ugarit (Abb. 27), aber alle diese Systeme waren zu kompliziert, als daß sie sich auf lange Sicht hin durchsetzen konnten.

Der entsprechende Durchbruch gelang um 1500 v. Chr., vielleicht auch schon etwas früher. Die ersten Zeugen dieses neuen Alphabetes begegnen uns in Serabit el-Chadim bei den ägyptischen Türkisminen im Südsinai. Die Inschriften stammen aus der Zeit Tutmosis' III. Die Schöpfer dieser Schrift haben ihre Inspiration von ägyptischen Hieroglyphen erhalten. Die Ägypter hatten ein Hieroglyphenalphabet von 24 Zeichen entwickelt (Abb. 27) und wären damit in der Lage gewesen, alles zu schreiben. Sie haben sich damit jedoch nicht begnügt und aus religiösen wie traditionellen Gründen das komplizierte Schriftsystem beibehalten. Denn die Hieroglyphen galten als Geschenk des Gottes Thot, und es auf wenige Zeichen zu reduzieren wäre einem Sakrileg gleichgekommen; andererseits hätten die Menschen die vielen Zeichen mit der Zeit verges-

ÄGYPTISCH			UGARITISCH	PROTOSINAITISCH			PHÖNIKISCH. ALTHEBRÄISCH. HEBRÄISCHE QUADRATSCHRIFT					
1		Deutung	1	1		Deutung	1	2	3	4	5	Hebr. Name
ꜣ		Geier	A, I, U	ꜣ		Rinderkopf						Aleph
i		Schilfblatt	B	B		Haus						Beth
c		Unterarm	G	G		Wurfstock						Gimel
w		Wachtelküken	D, Ḏ	D		Fisch						Daleth
b		Bein	H	Ḏ								He
p		Hocker	W	H		Rufender Mann						Waw
f		Viper	Z	W		Streitkolben						Zajin
m		Eule	Ḥ, H	Ḥ		Zaun?						Chet
n		Wasser	Ṭ, Z	Ḥ		Garnsträhne						Tet
r		Mund	Y	J		Arm						Jod
h		Hof	K	K		Palme? Hand?						Kaph
ḥ		Strick	L	L		Ochsenstachel						Lamed
ḫ		?	M	M		Wasser						Mem
ẖ		Tierleib mit Zitzen	N	N		Schlange						Nun
s		Türriegel	S, Ṣ	C		Auge						Samech
ś		Gefalteter Stoff	C, G	Ġ								Ajın
š		Grundriß	P	P		Ecke?						Pe
ḳ		Böschung	Ṣ	Ṣ		Pflanze						Sade
k		Korb	Q	Q		?						Qoph
g		Krugständer	R	R		Kopf						Resch
t		Brotlaib	Š, S	S		Bogen						S(ch)ın
ṯ		Seil	T	Š								Taw
d		Hand	Ṭ	T		Markierung						
ḏ		Kobra										

Abb. 27   Beginn der Alphabetschriften

1 = Wissenschaftliche Umschriften
2 = Alphabet nach dem Ostrakon von ʿIzbet Ṣarṭah, 12./11. Jh. v. Chr.
  Die Schrift ist ein Bindeglied zwischen kanaanäisch-phönikischer und
  althebräischer Schrift
3 = Phönikische Schrift des 10. bis 9. Jh. v. Chr.
4 = Althebräische Schrift nach dem Bauernkalender von Gezer, 10. Jh. v. Chr.;
  ältestes Zeugnis der hebräischen Literatur
5 = Bis heute übliche hebräische Schrift, die sogenannte Quadratschrift

sen, und die Verbindung zur früheren Literatur wäre unterbrochen gewesen. Doch für die Menschen außerhalb der ägyptischen Religion und Kultur waren solche Gründe nicht ausschlaggebend und sie erkannten den praktischen Wert des Hieroglyphenalphabetes. Sie haben dieses nicht einfach übernommen, sondern ein Zeichensystem entwickelt, das ihrer Sprache, einem nordwestsemitischen, kanaanäischen Dialekt, entsprach. Sie schrieben daher für den ersten Konsonanten Aleph einen Rinderkopf; denn Rind hieß in ihrer Sprache ʾalp usw. Es wurde also der entsprechende Buchstabe mit dem Begriff geschrieben, der mit diesem entsprechenden Buchstaben beginnt. Die Sprachforscher nennen dies das Prinzip der Akrophonie. Aus dieser protosinaitischen Schrift (Abb. 27) entwickelte sich die kanaanäisch-phönikische, die althebräische (Abb. 27) und die altaramäische Schrift. Im 9. Jh. v. Chr. übernahmen die Griechen die phönikische Schrift und von ihnen die Etrusker und Römer.

Für Palästina war nun die Basis geschaffen, die eigene Sprache in adäquaten Schriftzeichen auszudrücken, und eine reiche Schriftkultur beginnt sich zu entwickeln, die in der Hebräischen Bibel ihren Höhepunkt erreichen wird.

3.2 Späte Bronzezeit II A (ca. 1400–1300 v. Chr.)

Für die erste Hälfte des 14. Jh. v. Chr. stehen hervorragende literarische Zeugnisse, die Amarnabriefe, zur Verfügung, die Einblick in die urbane Struktur Palästinas, in die sozialen Verhältnisse, die ethnischen Gruppierungen, in die innerpolitische Situation und in die Ägyptenpolitik geben. Die über 350 Briefe wurden im königlichen Archiv in Amarna in Mittelägypten gefunden. Sie sind in akkadischer Sprache, der üblichen Diplomatensprache, abgefaßt und stellen die Korrespondenz der damaligen Großmächte: Hethiter, Mitanni, Babylon und der kanaanäischen Kleinkönige mit den ägyptischen Königen Amenophis III. (1403–1365 v. Chr.) und Amenophis IV. (1365–1349 v. Chr.) dar. Einige Briefe (Kopien) sind auch von den ägyptischen Königen an die fremden Herrscher erhalten.

Die weltpolitische Lage hatte sich inzwischen auch verändert. Mit dem langjährigen Feind Mitanni hatte Ägypten unter Tutmosis IV. (1413–1403 v. Chr.) Frieden geschlossen. Ägypten verzichtete dabei auf seine Einflußsphäre in Nordsyrien. Tutmosis IV. heiratete dann noch eine Tochter des mitannischen Königs Aratama. Im Vertrauen auf

64

diesen Friedensschluß hatte sich Amenophis III. kaum noch um Palästina gekümmert, was ein Absinken der ägyptischen Macht in diesem Raum bedeutete. Der Anspruch auf Palästina wurde aber deswegen keineswegs aufgegeben. Die Ägypter mischten sich nur solange in innerkanaanäische Angelegenheiten und Fehden nicht ein, als ihre Interessen davon nicht berührt waren. Selbst der Einfluß in Nordsyrien erlischt erst unter Amenophis IV., als in Nordsyrien ein neues Königreich: Amurru entsteht.

In den Amarnabriefen erscheint Palästina als ein ägyptischer Distrikt, dessen Hauptstadt Gaza ist. Dieser Distrikt zerfällt in vier Regionen: Jesreel-Ebene mit Akko, Scharon-Ebene, judäisches Gebirge mit Schefela, Gebirge Efraim. Jede Region zerfiel in die einzelnen Stadtstaaten (Abb. 28). Der größte und auch einflußreichste Stadtstaat in der Amarnazeit war Sichem. Die Stadt selber hatte die gleiche Ausdehnung wie in der Mittelbronzezeit. Der Tempel war nun als Breithaus angelegt und hatte eine Mauerstärke von 1,85 bis 2,20 m. Er war südöstlich orientiert, von zwei Türmen flankiert und hatte die Ausmaße 16 mal 12,50 m. Im ummauerten Tempelhof standen ein Altar aus Ziegeln und ein Kultstein, der ursprünglich weit über 2 m hoch gewesen sein mußte. Der Kultstein war als Repräsentation der Gottheit gedacht. Die Umgebung der Stadt weist für die Späte Bronzezeit II eine gute Besiedlungsdichte auf: ca. 16 Siedlungen. Der Einfluß Sichems ging jedoch weit über dieses sein stadtstaatliches Territorium hinaus. Aus den Amarnabriefen erfahren wir, daß Labaja Stadtkönig von Sichem war. Er versuchte, seine Macht bis weit in die Jesreel-Ebene hinein auszuweiten. Er konnte dort die Städte Schunem, Burkana und Harabu erobern (Brief Nr. 250). Andere Stadtstaaten wie Hebron, Jerusalem, Akko und Akschaf haben sich gegen Labaja verbündet. In Taanach vertrieb ein Aufstand König Jaschdata (Nr. 247/8) und er floh zu König Biridija von Megiddo. Labaja griff daraufhin Megiddo an. Doch der Angriff scheiterte und Labaja fiel in die Hände des Königs von Megiddo. König Zurata von Akko sollte Labaja dann per Schiff nach Ägypten schicken, gab ihn aber gegen Lösegeld frei. Biridija und Jaschdata nahmen daraufhin sofort die Verfolgung des Labaja auf (Nr. 245); doch Labaja war bereits in Gina ermordet worden. Die beiden Söhne Labajas setzten aber zusammen mit König Milkili von Gezer die Politik ihres Vaters fort. Unterstützung fanden sie bei Tagi und Schuwardatta von Hebron? Die Expansionspolitik richtete sich weiterhin gegen Megiddo und dann gegen Jerusalem.

Wir sehen aus diesen Beispielen, wie zerrissen die innerpolitische Situation Palästinas war und wie peinlich es die Ägypter vermieden, sich da

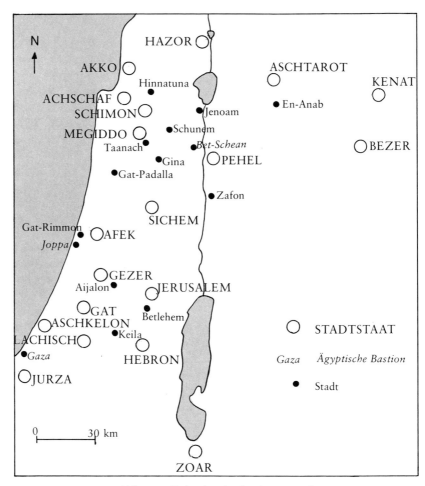

N

HAZOR 〇

AKKO 〇

Hinnatuna •

ACHSCHAF 〇
SCHIMON 〇

MEGIDDO 〇
Taanach •

• Gina

• Gat-Padalla

• Jenoam

• Schunem

• Bet-Schean

〇 PEHEL

• Zafon

ASCHTAROT
〇

• En-Anab

KENAT
〇

〇 BEZER

SICHEM 〇

Gat-Rimmon •
Joppa •
〇 AFEK

〇 GEZER
Aijalon •
〇 JERUSALEM

〇 GAT
Betlehem
〇 ASCHKELON
LACHISCH 〇
• Gaza
• Keila
〇
HEBRON

〇 JURZA

〇
ZOAR

0 ____ 30 km

STADTSTAAT
〇

Gaza   Ägyptische Bastion

•   Stadt

Abb. 28   Palästina in der Armanazeit

einzumischen. Dazu kommt, daß in dem kriegerischen Intrigenspiel der
kanaanäischen Kleinkönige die Apiru als entscheidende Kraft mitmi-
schen. Sie wirken dabei als Erzfeinde Ägyptens; denn die ärgste Anklage,
die die Kleinkönige in ihren Briefen an den Pharao gegeneinander erhe-
ben, ist, daß der eine oder andere den Apiru Einfluß gegeben hat. In dieser Gruppe der Apiru, wie sie uns in den Amarnabriefen begegnet, haben
wir offensichtlich auch einen bestimmten Menschentyp vor uns: neu

zugewanderte und zuwandernde Nomaden, die mit der protoaramäischen Völkerwanderung in Zusammenhang zu sehen sind. Daß diese Gruppen von den Ägyptern als besonders gefährlich eingeschätzt wurden, ist naheliegend, da solche Gruppen im Laufe der ägyptischen Geschichte immer wieder bedrohlich gefährlich geworden sind. Gewissen kanaanäischen Kleinkönigen mußten jedoch die Apiru sehr willkommen gewesen sein und sie verstanden es, sie in ihre Autonomiebestrebungen einzubinden. Obgleich die Begriffe Habiru/Apiru und Hebräer sprachlich nicht gleichgesetzt werden dürfen, besteht jedoch kein wesentlicher Unterschied zwischen den protohebräischen Sippen und Verbänden und den Apiru.

3.3 Späte Bronzezeit II B (ca. 1300–1200 v. Chr.)

Mit Beginn der 19. Dynastie setzen über Palästina wieder schriftliche Nachrichten ein. König Haremhab, der letzte König der 18. Dynastie, war früher Oberbefehlshaber der ägyptischen Truppen in Palästina gewesen und verfolgte eine sehr semitenfreundliche Politik. In diesem Sinn durchkreuzte er bereits die Hethiterpolitik seines Vorgängers Ay (1337/36–1332 v. Chr.), der Verhandlungen mit den Hethitern führte, um die junge Witwe Tutanchamuns mit einem hethitischen Prinzen zu verheiraten. Den anreisenden Prinzen Zannanza ließ Haremhab vermutlich in Palästina ermorden. Ein Rachefeldzug der Hethiter wurde durch den Ausbruch der Pest vereitelt.
Erst die Könige der 19. Dynastie änderten die kurze, semitenfreundliche Politik und versuchten, ihre Machtstellung über Syrien–Palästina wieder zu gewinnen.
Auslösendes Moment für den ersten Asienfeldzug Setis' I. (1303–1290 v. Chr.) ist eine Bedrohung des Kulturlandes durch Nomaden (AOT 94) und Streitigkeiten zwischen kanaanäischen Stadtstaaten in Nordpalästina. Hamat, Pehel und Jenoam richteten sich gegen Bet Schean und Rechob. Seti I. rückte mit seiner Armee gegen Hamat und Jenoam. Bet Schean und Rechob wurden abgesichert. Ein weiteres Unternehmen führte Seti I. in die gleiche Gegend, um einen Angriff der Apiru aus dem Ostjordanland abzuwehren.
Auch Ramses II. (1290–1224 v. Chr.) unternahm mehrere Feldzüge gegen Asien. In seinem ersten Feldzug 1286 v. Chr. mußte er sich dem hethitischen Heer bei Kadesch am Orontes stellen. Er konnte nur knapp einer Niederlage entgehen, mußte sich zurückziehen und verlor seinen Einfluß auf Amurru. Nun wäre auch für die Hethiter der Weg nach Palä-

stina frei gewesen. Doch sie konnten aus der ägyptischen »Niederlage«
keinen Nutzen ziehen, da ihr König Muwatalli starb und das Reich
durch Thronstreitigkeiten behindert war. Weitere militärische Expeditionen Ramses' II. nach Palästina dienten dazu, Rebellionen im Keim zu
ersticken (ANET 256) und die ägyptische Autorität den kanaanäischen
Kleinkönigen deutlich vor Augen zu führen. Um 1270 v. Chr. schloß
Ramses II. einen Friedens- und Freundschaftsvertrag mit den Hethitern
(ANET 199–203). Danach dürfte die politische Lage in Palästina stabil
geblieben sein, da der König keine Strafexpedition mehr unternimmt.
Erst in einem Text Pharao Merneptahs (1224–1214 v. Chr.) hören wir
wieder von Kanaan. Der Text steht auf der sogenannten Israel-Stele, das
einzige ägyptische Dokument, das den Namen »Israel« erwähnt. Die
Stele stammt aus dem 5. Regierungsjahr des Königs. Der Schluß lautet:

Die Fürsten sind niedergeworfen und sagen: šlm;
keiner erhebt mehr seinen Kopf unter den Neun Bogen.
Zerstört ist Ṯḥnw, Hatti ist friedlich.
Kanaan ist mit allen Schlechten erobert worden;
Aschkelon ward fortgeführt und Gezer gepackt, Jenoam ist zunichte
gemacht.
Israel ist verwüstet und hat keinen Samen;
Ḥr ist zur Witwe geworden für Ägypten.
Alle Länder insgesamt sind in Frieden;
jeder, der umherschweifte, ist gefesselt
durch den König von Ober- und Unterägypten,
B3-n-Rᶜ, geliebt von Amun, den Sohn des Re, Merneptah,
der mit Leben beschenkt ist wie Re, alltäglich.   (TGI Nr. 17)

Der Text dieser Stele läßt es kaum möglich erscheinen, daß wir es mit
dem Bericht über einen Feldzug zu tun hätten. Die Nennung der Orte
und Gebiete zeigt nur, daß sie Ägypten untertan waren. In bezug auf
Palästina kann man folgendes Schema erkennen:

Eröffnung: Kannaan ist erobert
Korpus: *Nennung von Städten:*
          Küste: Aschkelon
          Schefela: Geser
          Galiläa: Jenoam
          *Nennung eines Stammes/*Clans (um das nomadische Ele-
          ment zu bezeichnen):
          Israel
Abschluß: Ḥaru ist Witwe

68

Der Name Israel ist durch die hieroglyphische Determination »Mann und Frau« als Menschengruppe/Stamm/Clan zu verstehen und nicht etwa als Bezeichnung für eine Stadt. Ähnlich wie die drei Städte stellvertretend für alle kanaanäischen Stadtstaaten Palästinas stehen, so Israel für die halbnomadische Bevölkerung. »Wir dürfen nur aus der Merneptahinschrift schließen, daß damals eine nomadische Welle in Palästina eindringt, die so bedeutsam ist, daß sie in den ägyptischen Texten erscheinen kann.« (W. Helck, Beziehungen 224)

Vom Ende des 14. Jh. bis Anfang des 12. Jh. v. Chr. kam es im Ostjordanland zu einer wichtigen Veränderung. Die ursprünglich nomadischen Stämme der Edomiter, Moabiter und Ammoniter (Abb. 29) wurden seßhaft und entwickelten sehr rasch monarchische Staaten. Zum erstenmal kommt es auf dem Boden Palästinas zur Bildung größerer Staaten.

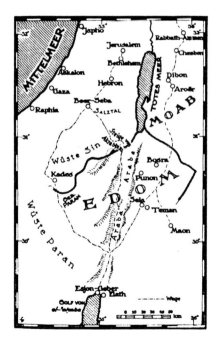

Abb. 29   Die Gebiete der Ammoniter, Moabiter und Edomiter (H. Haag, Bibel-Lexikon, Sp. 61 und 357)

4. ZUR RELIGION DER KANAANÄER IM 2. JT. V. CHR.

4.1 Allgemeine Charakteristik

Die Quellen, aufgrund derer wir die religiösen Vorstellungen der Kanaanäer im 2. Jt. v. Chr. erschließen können, sind neben den materiellen Funden wie Tempel, Kultgeräte, Götterfiguren und Bildkunst die mythologischen und kultischen Texte der kanaanäischen Küstenstadt Ugarit.

Die Religion der Kanaanäer ist komplex, jedoch trotz aller Vielfalt überschaubar. Im wesentlichen sind zwei Arten von Heiligtümern zu unterscheiden: die offene Kulthöhe und der Tempel im städtischen Gebiet. Die Kulthöhe ist ein freier Ort, der meist durch eine besondere landschaftliche Lage ausgezeichnet ist. Zu ihm gehören der Altar, Wasserbecken und die die Gottheiten vergegenwärtigenden hl. Steine (später im Hebr. maṣṣebot genannt) und hl. Bäume bzw. Kultpfähle (später im Hebr. ascherot genannt). In den Städten herrschte der Tempel vor, der meist von einem Hof umschlossen war. Im Tempelhof standen der Brandopferaltar und oft auch ein großer Kultstein. Die Form der Tempel konnte die des Breit- oder Langhauses sein. Durch Aneinanderreihen von Räumen an einer Achse kann es zur Dreiteilung in Vorraum, Hauptraum, Allerheiligstes kommen. Im Allerheiligsten stand das Kultbild der Gottheit oder auch nur ein Kultstein. Die blutigen Opfer wurden auf dem Brandopferaltar im Hof dargebracht, andere Opfer und Votivgaben deponierte man im Tempel. Auch das Rauchopfer wurde im Tempel vor der Gottheit vollzogen. Als Opfertiere dienten: Rind, Schaf, Ziege, Gazelle, Taube. Das Heiligtum galt allgemein als irdischer Wohnsitz der Gottheit.

Im Zusammenhang mit der Opferpraxis der kanaanäischen Religion wird gerne auf das Menschenopfer hingewiesen. Es gibt jedoch für das 2. Jt. v. Chr. kaum Zeugnisse. Bei einigen Skelettfunden aus Jericho, Gezer und Megiddo konnte es sich um Erstlings- bzw. Gründungsopfer handeln. Die Aussage der vorisraelitischen Tradition von Gen 22 macht ein etwa jährlich vorkommendes Menschenopfer in einer kanaanäischen Siedlung der Südwüste wahrscheinlich. Grundsätzlich muß betont werden, daß es das Menschenopfer wohl gegeben hat, aber selten: etwa als jährlichen Ritus oder auch in großen Notsituationen. Wenn es sich dabei meist um Kinder gehandelt hat, die geopfert wurden, so nicht deswegen, weil sie wehrlos, sondern weil sie für den Altorientalen die kostbarste Gabe waren, die man der Gottheit schenken konnte! Das Menschenopfer setzt auch eine bäuerliche, wenn nicht urbane Kultur voraus. Bei nomadischen Stämmen konnte es auch für das 1. Jt. v. Chr. nicht nachgewiesen werden.

Das kanaanäische Jahr hatte drei Hauptfeste: das Herbstfest, mit dem das Neue Jahr begann, das Frühlingsfest im Februar/März und das Fest am Ende der Getreideernte. Als höchster Priester fungierte der Stadtkönig. Daneben gab es an den Tempeln eine gut organisierte Priesterschaft mit einem obersten Priester. Sie waren unter Einhaltung von Reinheitsvorschriften für den genauen Ablauf des Kultes verantwortlich. Neben den Priestern gab es den Stand der »Geweihten«, Kultpropheten, die man zur Orakeleinholung für den König und andere Rat Suchende benötigte. Eine dritte Gruppe waren die Sänger und Musikanten. Größere Tempel hatten zusätzlich Angestellte wie Schreiber und Handwerker.

Eine Eigenart der kanaanäischen Religion dürfte auch die kultische Prostitution gewesen sein. Ähnlich wie für das Menschenopfer fehlen zwar für das 2. Jt. v. Chr. Belege, aber man wird die Kultprostitution doch annehmen müssen. Der ideelle Ausgangspunkt ist der, daß der Mensch in Nachahmung der hl. Hochzeit des Fruchtbarkeitsgottes mit seiner Geliebten in mystische Einheit mit dem Göttlichen kommen will, um die irdische Fruchtbarkeit zu gewährleisten. Der Vollzug der hl. Hochzeit ist daher für den Kanaanäer ein Bekenntnis zum Vertrauen auf seine Götter. Und gerade deswegen wurde später von den Propheten Israels diese religiöse Praxis verurteilt, weil sie für den Israeliten Glaubensabfall von JHWH bedeutete!

Der Kanaanäer glaubte auch an ein Weiterleben nach dem Tod. Die kanaanäische Idee des Grabes ist, daß dieses als Haus des Toten gilt, in dem er weiter existieren kann. Seine Weiterexistenz wird ihm durch Gegenstände, die er mitbekommt — alles Dinge wie Eßgefäße, Möbel, Schmuck, Amulette, Öllampen für Licht etc. — erleichtert. In einer gemauerten Grabkammer des spätbronzezeitlichen Megiddo war z. B. eine Öffnung von 20 cm Durchmesser, die mit einer Steinplatte verschlossen werden konnte. Man hielt dieses Ventil offenbar für notwendig, um die Begrabenen mit Frischluft zu versorgen und ihnen Nahrungsmittel und andere Gaben zu bringen. Diese Öffnung erinnert z. B. an ägyptische Grabanlagen, wo es solche Luftschächte zum Transport der Gaben gab, aber auch als Öffnung für den Seelenvogel (Ba), der den in der Tiefe liegenden Leichnam mit allem Guten versorgen konnte (Abb. 30).

Im Abschnitt über die Megalithkultur ist bereits auf den Totenkult hin-

Abb. 30 Der Ba-Vogel, wie er das Grab durch den Schacht verläßt und gefüttert wird. Dargestellt auf einem ägyptischen Papyrus.
(O. Keel, Bildsymbolik, Abb. 71)

gewiesen worden. Auch im kanaanäischen Palästina scheinen aufgerichtete Steine mit dem Totenkult im Zusammenhang gestanden zu haben. Auf einem 2 m breiten und 30 m langen Pflaster in Gezer stehen noch heute acht Denksteine, deren Kleinster 1,65 m und deren Größter 3,28 m hoch ist (Abb. 31). Die Anlage wurde in der Mittelbronzezeit errichtet. Das große Kultbecken vor den Stelen weist die Anlage als Kultplatz aus. Eine der überzeugendsten Deutungen dieser Anlage ist, daß es

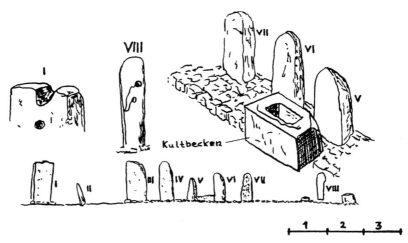

Abb. 31 Die Stelenreihe von Gezer, Mittlere Bronzezeit II B (AOB 412)

sich um Repräsentationen verstorbener Fürsten handelt, was die Grab-
anlage östlich der Steine noch unterstreichen würde. Die Stelle wäre
dann der Ort des Totenkultes gewesen, wo man den durch die Steine
gegenwärtig gedachten Fürsten opferte und im Kultmahl mit ihnen die
Gemeinschaft findet.

In den ugaritischen Texten tritt der Lebende ähnlich mit den vergöttlich-
ten Ahnen (Refaim) in Verbindung. Es läßt sich daraus erschließen, daß
besonderen Menschen wie Königen ein gottähnliches Leben nach dem
Tod zugebilligt wurde.

4.2 Die kanaanäischen Götter

EL: war die oberste Gottheit der Kanaanäer. »El« kann einfach »Gott«
heißen oder auch als Eigennamen verstanden werden. Er ist mehr ein
Gott des Hintergrundes, das transzendente Element der kanaanäischen
Religion. Er ist der Oberste der Götterversammlung, die anderen Götter
verehren ihn. Er gilt als Vater von Göttern und Menschen und letztlich
aller Dinge. Er ist Herr und König, der Weise, der Richter, der Gütige.
Seine Kraft veranschaulicht der Titel »Stier«. Sein Wohnsitz liegt an
»der Quelle der beiden Ströme, inmitten der Flußbette der beiden
Abgründe« (ugaritischer Text 49, I,5 f.), d. h. dort, wo man sich in
unendlicher Ferne den Weltenberg dachte. Dies heißt jedoch nicht, daß
er dem Menschen total entrückt wäre. Im ugaritischen Kerct-Epos wird
sein Vertrauensverhältnis zum irdischen König besonders hervorgehoben: Im Traum steigt er zum König herab.

HADAD-BAAL: Baal heißt »Herr, Eigentümer, Ehemann« und wird
für den syrischen Wettergott Hadad zu einem Eigennamen. Daneben
kann auch jede lokale Gottheit als Baal gedeutet werden. Baal ist der
vordergründige, immanente Gott der kanaanäischen Religion. In Ugarit
trägt Baal die Beinamen: der Mächtige, der Mächtigste der Helden, der
Fürst der Erde, der Wolkenfahrer. Als sein Wohnsitz gilt der Saphon bei
Ugarit. Auch Baal ist König. Doch im Unterschied zu El muß er sein
Königtum erringen und gegen seine Feinde sichern. Seine für den Menschen bedeutendste Funktion ist die der Gewährung der Fruchtbarkeit.
Wenn er stirbt, stirbt mit ihm die Natur. Als junger, nach Zeugung gie-
render Stier verkörpert er die Sexualität, die Fruchtbarkeit, ja das Leben
im umfassenden Sinn. Als Wettergott ist es seine Aufgabe, die Mutter
Erde mit seinem Regen zu begatten.

DAGAN: ist eine alte semitische Gottheit. Im syro-kanaanäischen

Raum galt Dagan als Getreide- und Fruchtbarkeitsgott. Er wurde in dieser Funktion immer mehr von Baal verdrängt. Baal trägt z. B. noch den Titel »Sohn des Dagan«. In Palästina wurde Dagan Hauptgott der Philister (Ri 16,23).

JAM: ist der Gott des Meeres, der Ströme und Flüsse. Seine Titel sind »Fürst, Herrscher, Liebling Els«. In den ugaritischen Texten verkörpert er die Chaosmächte des Meeres, die die ordnenden Kräfte der Welt (Baal) vernichten wollen, jedoch von Baal überwunden werden.

MOT: ist der Gott des reifenden Getreides, der Dürre und Hitze, sowie des Bereiches des Todes und der Unterwelt. Er bringt die Natur im Herbst zum Erliegen und damit auch Baal, der im Mythos von Mot getötet wird. Das Sterben Baals ist jedoch nur ein zeitliches. Mit dem neuen Erwachen der Natur im Frühling schwindet der Einfluß des Todesgottes und Baal kann erstehen.

RESCHEF: verkörpert eine vernichtende aber auch eine heilvolle Macht. Unter dem Aspekt des Lebens und der Fruchtbarkeit wurde Reschef in kanaanäischen Städten häufig verehrt. Er kann als Stadtgott gleichsam alle Funktionen des Gottes Baal übernehmen. Ins ägyptische Pantheon wurde Reschef in der Späten Bronzezeit aufgenommen.

ANAT: ist die Schwester Baals wie auch seine Gemahlin. Häufig wird sie als Jungfrau tituliert, ein Ehrentitel, der ihre nie erliegende Lebens- und Liebeskraft ausdrücken will. Sie ist einerseits Liebesgöttin, die mit Baal die hl. Hochzeit vollzieht, andererseits die Kriegsgöttin, die des Wütens und Mordens nie genug kriegen kann.

ASCHTAR: wurde besonders im südlichen Ostjordanland verehrt und ist in der Doppelgottheit Aschtar-Kamosch Hauptgott der Moabiter. In Ugarit tritt Aschtar, nachdem Baal dem Mot erlegen ist, Baals Nachfolge an, ist der Herrschaft aber nicht gewachsen. Man hat vermutet, daß Aschtar in Ugarit der Gott der künstlichen Bewässerung gewesen sein könnte.

ASCHIRAT: ist die Gemahlin des Gottes El, die Mutter der Götter, gleichsam eine Personifikation des Mutterschoßes. Sie legt bei El für andere Götter Fürsprache ein. Sie wird auch Qudschu »Heiligkeit« genannt. Im Alten Testament heißt sie Aschera.

ASCHTART: ist eine Fruchtbarkeitsgöttin mit ausgeprägt sexuellem Kult. Im Alten Testament lautet ihr Name Astarte. Viele der zahlreichen Darstellungen einer Göttin mit betonten Geschlechtsmerkmalen wird man mit ihr identifizieren können. Sie war eine besonders beliebte Stadtgöttin.

Als astrale Gottheiten sind die Sonnengöttin Schamasch, der Mondgott

Jerach und die Götter der Morgendämmerung und des Sonnenunter-gangs: Schachar und Schalim, die »lieblichen und schönen« Götter zu nennen.

Neben diesen genannten Göttern gab es noch andere zahlreiche unterge-ordnete Gottheiten und Dämonen, die man sicherlich im kanaanäischen Volksglauben nicht unterschätzen darf. Zugleich muß aber vor der Übertreibung gewarnt werden, die Kanaanäer als hilflose Geschöpfe einer pantheistisch und pandämonischen Welt zu verstehen.

5. DIE VORGESCHICHTE ISRAELS

Es ist vor allem das spätbronzezeitliche Palästina, in dem sich die Vorge-schichte Israels abzuzeichnen beginnt. Obwohl das Alte Testament nicht reines Geschichtsdokument sein will, sondern Zeugnis des israelitischen Gottesglaubens, ist es trotzdem auch ein Geschichtsdokument. Es gilt aber die Eigenart des Sprechens von der Geschichte zu verstehen, die literarischen Gattungen zu beachten, die geschichtliches Wissen auf je ihre Weise verarbeitet haben, wie auch allgemein die Ergebnisse der Exegese ernst zu nehmen, die uns in die Entstehungsgeschichte alttesta-mentlicher Texte und ihrer Überlieferungen Einblick vermitteln können.

5.1 Protoisraelitische Sippen in Palästina

Historisch faßbar wird Israel als Verband von 12 Stämmen erst auf dem Boden Palästinas im 11. Jh. v. Chr. (Abb. 32). Das Quellenmaterial an Listen, Genealogien und Erzählungen über das Werden dieses Volkes wurde in der Zeit des davidisch-salomonischen Großreiches (1004−926 v. Chr.) gesammelt, interpretiert und liegt heute in den verschiedenen Büchern des Alten Testamentes von der Genesis bis zum Richterbuch verstreut vor. Es hat in den folgenden Jahrhunderten weitere Ergänzun-gen und Deutungen erfahren.

Als Ausgangspunkt der Frühgeschichte Israels ist es ratsam, von den Territorien auszugehen, die die einzelnen Stämme Israels als ihre Wohn-sitze verstanden.

JUDA: bewohnte das Gebiet südlich von Jerusalem bis Hebron, im Osten war die judäische Wüste und das Tote Meer eine natürliche Grenze, im Westen stieß das Gebiet Judas auf die Stadtstaaten der Sche-fela (Jos 15,12.20−63, Ri 1,1−18). Mittelpunkt des Stammes war Bet-

Abb. 32 Siedlungsgebiete der israelitischen Stämme seit dem
11. Jh. v. Chr.

lehem. Im Süden Judas siedelten die Stämme der Kalebiter, Kenizziter, Otnieliter, Keniter und Jerachmeeliter, die später in Großjuda aufgegangen sind. Juda ist ursprünglich Landschaftsbezeichnung. Die Bedeutung ist unbekannt.

SIMEON: bewohnte die noch weiter im Süden liegenden Gebiete (Ri 1,3.17) mit Horma (Tel Masos?) als Zentrum. Der Stamm ist später in Großjuda einbezogen worden (Jos 19,1.9, Ri 1,1 ff.). Simeon ist ursprünglich Personenname.

BENJAMIN: siedelte zwischen Jerusalem und Betel (Jos 18,11−28). Im Osten reichte das Gebiet bis Jericho. Der Name Benjamin »der im Süden Wohnende« bezieht sich auf sein Siedlungsgebiet von der Perspektive des im Norden anschließenden Hauses Josef, Efraim und Manasse, aus gesehen.

EFRAIM: Das Stammesgebiet Efraims lag zwischen Betel und Sichem, im Osten dehnte es sich weit über den Jordan nach Gilead aus (Jos 16,5−8, Ri 12,4). Efraim ist ursprünglich Landschaftsbezeichnung.

MACHIR: bewohnte die Gegenden nördlich von Efraim, verlegte aber sein Siedlungsgebiet immer weiter ins Ostjordanland (Ri 5,14, Jos 17,1), so daß MANASSE: in der Gegend zwischen Sichem und der Jesreel-Ebene dominierte, obwohl auch Manasse sein Gebiet bis ins Ostjordanland ausdehnte. Manasse ist Personenname »einer, der vergessen läßt«. Efraim, Manasse/Machir werden auch unter der Bezeichnung »Haus Josef« zusammengenommen.

GAD: lebte im Ostjordanland zwischen Arnon im Süden und Jabbok im Norden. Im Osten stieß das Gebiet an das der Moabiter (Jos 13,15 ff.). »Gad« heißt »Glück«, ist ursprünglich Name einer Gottheit.

RUBEN: ist im Ostjordanland südlich von Gad angesiedelt (Jos 13,15−23). Ruben ist Personenname »wiederherstellen, ersetzen«.

ASCHER: bewohnte den westlichen Rand des untergaliläischen Gebirges (Jos 19,24−31, Ri 1,31−32). Im Papyrus Anastasi I aus der Zeit Ramses II. ist der Stammesname iśr belegt. Ob er mit dem israelitischen Stamm identisch ist, ist nicht eindeutig. M. Noth hat den Namen Ascher als männliches Gegenstück zur Göttin Aschera gedeutet.

SEBULON: wohnte am Südrand des untergaliläischen Gebirges zwischen Jesreel-Ebene im Süden und Nazaret im Norden (Jos 19,10−16). Sebulon könnte ursprünglich auch Personenname gewesen sein.

ISSACHAR: siedelte im Südausläufer des galiläischen Gebirges, im Westen war die Jesreel-Ebene, im Süden Bet Schean, im Osten der Jordangraben die Grenze (Jos 19,17−23). Issachar heißt »Lohnarbeiter«, ein Spottname, da sich die Angehörigen des Stammes kanaanäischen Städten verdingten.

NAFTALI: siedelte längs des Ostrandes des unter- und obergaliläischen Gebirges (Jos 19,22–29). Naftali ist wahrscheinlich Ortsname (Jos 20,7).

DAN: besiedelte die alte Stadt Lais und ihre Umgebung im oberen Jordantal (Num 34,7–11, Jos 19,40–48, Ri 18). Dan ist ursprünglich Gottesname.

Aus den Namen, die die Stämme im Kulturland tragen, wird deutlich, daß sie nicht bereits vor ihrer Ansiedlung so geheißen haben können, sondern daß die Namen einen Zusammenschluß einzelner Sippen, die in derselben Gegend ansässig waren, voraussetzen. Juda, Efraim, Benjamin und vermutlich auch Naftali sind Landschaftsbezeichnungen, die auf die dort siedelnden Clans übertragen wurden. Simeon, Manasse, Sebulon sind Personennamen, d. h. der Name wurde vermutlich von dem so benannten Hauptclan übernommen. Gad, Dan und vielleicht auch Ascher sind Gottesnamen. Clans, die unter diesen Namen zusammengefaßt wurden, mögen zu solchen kanaanäischen Gottheiten besondere Beziehungen gepflegt haben. Benjamin besagt einfach, daß Clans von einem gewissen Punkt aus gesehen im Süden wohnen. Den Namen Issachar erhielten Sippen eines Gebietes, die um Lohn für Kanaanäer arbeiteten.

Der alttestamentlichen Überlieferung ging es darum, aufzuzeigen, daß alle diese Stämme das eine Israel bilden. So versuchte man sie auf Ahnherren zurückzuführen, die von einem gemeinsamen Vater, doch nicht von derselben Mutter abstammen. Wichtig war dabei auch die Zahl zwölf, die symbolische Zahl der Vollkommenheit, des Ganzen. Die Stämme in das Zwölferschema zu pressen, war jedoch nicht ganz einfach.

Als Söhne Jakobs von Lea galten: Ruben, Simeon, Levi, Juda, Issachar, Sebulon, von Rachel galten: Josef und Benjamin, von Bilha: Dan und Naftali, von Silpa: Gad und Ascher (Gen 35,23–26). Als Tochter Jakobs von Lea galt: Dina (Gen 34,1). Da Levi später als Volksstamm ob seiner kultischen Funktion nicht mehr gezählt wird, teilte man das Haus Josef in Efraim und Manasse, den zwei Josefsöhnen, um die Zwölfzahl aufrecht zu erhalten. Andere Stämme wie Kaleb oder Machir wurden nicht mitgezählt.

Das Siedlungsgebiet der israelitischen Stämme, wie es gegen Ende des 11. Jhs. v. Chr. vorliegt, ist als Endprodukt einer längeren Entwicklung zu verstehen. Verschiedene Stämme hatten früher ein anderes Siedlungs-

78

gebiet, das sie aus je unterschiedlichen Gründen aufgeben mußten (Abb. 33). Die Stämme Simeon und Levi siedelten in Mittelpalästina in der Umgebung Sichems. Beide Stämme verloren ihr Gebiet in Auseinandersetzung mit dem kanaanäischen Sichem (Gen 34) und wurden vertrieben. Levi findet praktisch überhaupt kein Territorium mehr und Simeon scheint weit südlich von Juda auf, wird dann völlig bedeutungslos und geht wahrscheinlich mit Levi in Juda auf. Zeitlich könnte man die Versprengung dieser Stämme gegen Ende des 13. Jhs. v. Chr. ansetzen, wo sich in Sichem archäologisch auch einige kleinere Zerstörungen feststellen lassen. Ruben siedelte ebenfalls in Mittelpalästina und wurde nach Transjordanien verschlagen. Dahinter steht ein Vergehen der Sippe im Tabu-Bereich sexueller Beziehung zwischen Mutter und Sohn (Gen 35,21 f. 49,3 f.). Dan siedelte an den nördlichen Rändern der Schefela und wurde durch kanaanäischen Druck weit nach Norden abgetrieben, wo er das alte Lais und seine Umgebung in Beschlag nahm. Nach den Ausgrabungen auf dem Tel Dan zu schließen, wurde die Stadt im 12. Jh. v. Chr. von den Daniten besiedelt. Der Stamm Benjamin, der in der Genealogie schon als jüngster Sohn Jakobs von Rachel figuriert, dürfte überhaupt erst Ende des 13./Anfang des 12. Jhs. v. Chr. zusammen mit Sippen, die unter der Leitung Josuas standen, in sein späteres Gebiet vorgestoßen sein. Mit der Ansiedlung Benjamins könnte auch die Verdrängung des Stammes Dan in den Norden zusammenhängen. Der Stamm Josef wurde etwa am Anfang des 13. Jhs. v. Chr. von seinem Gebiet zwischen Sichem und Dotan vertrieben und schließlich bis Ägypten verschlagen. Die Ursachen dafür waren Spannungen mit anderen Stämmen, auf die wir noch zu sprechen kommen werden.

So ergibt sich also für den mittelpalästinischen Raum um ca. 1300 v. Chr. folgende Situation: Es siedeln von Süden nach Norden die Stämme Dan, Ruben, Simeon, Levi und Josef. Für das Ostjordanland verbleibt der Stamm Gad, für Nordpalästina die Stämme Ascher, Sebulon, Issachar und Naftali, für Südpalästina: Juda. Es ist jedoch ganz unwahrscheinlich, daß die einzelnen Stämme bereits zu dieser Zeit ihre uns bekannten Namen trugen, besonders was Juda, Dan, Gad, Ascher, Sebulon, Issachar und Naftali betrifft. Für Simeon, Levi, Ruben und Josef wird es jedoch die Bezeichnung bereits gegeben haben, da es sich hier eher noch um Sippen denn Stämme handelt, die die Namen ihrer Ahnherren tragen. Die anderen Namen dürften erst im Verlauf des 12. und 11. Jhs. v. Chr. auf Verbände von Sippen übertragen worden sein. Im 10. Jh. v. Chr. mag dann die Genealogie der 12 Söhne Jakobs etwa vollständig gewesen sein.

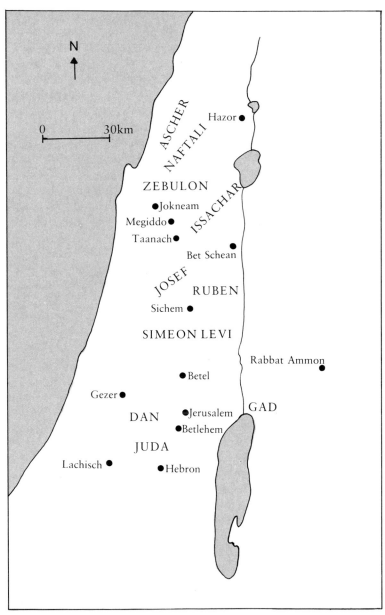

*Abb. 33   Siedlungsgebiete israelitischer Sippen und Stämme während
der Späten Bronzezeit II*

Gemeinsam war allen Sippen und Stämmen die Herkunft aus der arabisch-syrischen Wüste und ihre westsemitische Sprache, wenn auch mit Dialektunterschieden. Sie sind in die protoaramäische Völkerwanderung einzuordnen, die in Weiterführung der amoritischen Wanderbewegung nomadisierende Clans ab etwa 1500 v. Chr. an die Ränder des Kulturlandes gespült hatte. Die völkische, sprachliche, kulturelle und religiöse Beziehung dieser Sippen und Stämme drückt das Alte Testament durch Genealogien aus. Sie sind ein Ausdrucksmittel des damaligen Menschen, um Beziehungen aufzuzeigen und wollen daher auch gar nicht im Sinn echter Blutsverwandtschaft verstanden werden. Es wäre jedoch zuwenig, die Genealogien als reine Idealkonstruktionen der davidisch-salomonischen Zeit zu deuten, um die eben erwähnten Gemeinsamkeiten darzustellen und das eine Israel zu begründen. Die Grundansätze dieser Genealogien gehen bereits auf das nomadische Konföderations-System zurück.

Bis ins 2. Jt. v. Chr. zurück gibt es einzelne Zeugnisse für nomadische Konföderationen. Aufgrund späterer arabischer Quellen ist es aber möglich, dieses System näher darzustellen. Zwei Stämme, die miteinander ein Bündnis eingehen, übernehmen Pflichten und Rechte und bilden eine Lebensgemeinschaft von derselben intimen Art wie die zwischen Blutsverwandten. Sowohl mehrere Stämme als auch einzelne konnten untereinander ein solches Bündnis eingehen. Auch wenn die Gruppen nicht miteinander verwandt sind, werden sie mit der Zeit in ein genealogisches Verhältnis zueinander gebracht. Tritt ein schwächerer Stamm einem solchen Bündnis bei, mußte er meist seine lokale Selbständigkeit opfern. Die Riten für den Abschluß eines solchen Bündnisses waren z. B. der Kuß, der Handschlag, der Kleidertausch, um die Identifizierung mit dem anderen auszudrücken, oder eine gemeinsame Mahlzeit. Oft wurden solche Bündnisse an Heiligtümern abgeschlossen. Man goß z. B. Wasser über den Kultstein des Heiligtums und beide Parteien tranken davon. Oder man tauchte die Hände in eine Schale mit Blut. Dabei wurde der Bundeseid gesprochen. Die im heiligen Stein gegenwärtig gedachte Gottheit sollte über die Einhaltung des Bundes wachen. Dieses System eignet sich am besten zur Erklärung der Beziehungen der protoisraelitischen Sippen und Stämme (Abb. 34).

DIE SÜDLICHE GRUPPE: Der Schwerpunkt der Erzählungen der Genesis über Abraham und seine Sippe liegt im Süden Palästinas, vor allem in der Umgebung Hebrons. Sowohl Abraham als auch seine Frau Sara (Gen 23,1–20. 25,7–11) werden in der Höhle von Machpela bei

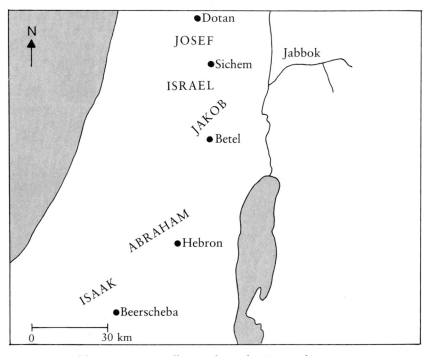

Abb. 34   *Hauptsiedlungsgebiete der Patriarchensippen*

Mamre/Hebron begraben, und zwar auf dem Grundstück, das schon im
Besitz der Sippe war. In der Genealogie sind Isaak (von Sara) und Ismael
(von Hagar) Söhne Abrahams. Das Weidegebiet Isaaks erstreckte sich
gegen Südwesten um Beerscheba, während das Ismaels und seiner Nachkommen noch weiter im Süden zwischen Ägypten und Palästina lag.
Alle drei Sippen: Abraham, Isaak und Ismael waren durch eine Konföderation verbunden, bei der jedoch der Abrahams-Clan dominierend
blieb. Der schwächere Teil der Konföderation Isaak wurde im Verlauf
der Zeit zum legitimen Sohn Abrahams erklärt. Die Konföderation mit
Ismael muß mit der Zeit verblaßt sein, da er nur mehr als illegitimer
Sohn Abrahams von Hagar galt und ein nomadisches Eigenleben führte.
Die südliche Gruppe erlangte erst in der Zeit des davidisch-salomonischen Großreiches für Gesamtisrael ihre Bedeutung. Es mußte eine Verbindung zu den mittel- und nordpalästinischen Stämmen hergestellt
werden. Als Verbindungsglied diente Juda, in der Genealogie der vierte

Sohn Jakobs von Lea. Der Landschaftsname haftete bereits auf Sippen, die südlich Jerusalems siedelten. Nun erklärte man Juda als Sohn Jakobs, stellte damit die Verbindung zu den anderen Stämmen her und griff andererseits auf Isaak zurück, um die Verbindung zu den südlichen Gruppen aufzuzeigen. Da jedoch in der Konföderation Isaak bereits als der Sohn Abrahams galt, war die Linie bis zum Patriarchen der Südgruppe gezogen. Die Konstruktion der Verbindung zwischen südlicher und nördlicher Gruppe könnte auch dadurch erleichtert worden sein, daß der Stamm Simeon etwa seit dem beginnenden 13. Jh. v. Chr. in Südpalästina siedelte, davor jedoch in der Gegend Sichems. Da Simeon Personenname ist, wird der Name des Ahnherrn auf die Sippe übergegangen sein. Simeon gilt dann als zweiter Sohn Jakobs von Lea (Verbindung zum Norden) und Enkel Isaaks bzw. Urenkel Abrahams (Verbindung zum Süden). Daß Juda der dominierende Südstamm war, hängt wohl damit zusammen, daß David Judäer war. Der ehemals führende Clan Abraham bleibt nur noch im Namen des Erzvaters als Beginn einer langen Kette erhalten.

DIE MITTEL- UND NORDPALÄSTINISCHE GRUPPE: Das mittelpalästinische Gebiet zwischen Betel und der Jesreel-Ebene war das um 1300 v. Chr. am dichtesten von protohebräischen Gruppen besiedelte. Ob die Stämme Simeon, Levi, Ruben und Dan schon zu diesem Zeitpunkt ihre Namen trugen, ist unwahrscheinlich. Nach Ausscheiden dieser Stämme oder Clans verblieben für Mittelpalästina Jakob/Israel und Josef.
Die Haftpunkte für Jakob sind Betel (Gen 28), Sichem (Gen 33,18−20) und der Unterlauf des Jabbok im Ostjordanland (Gen 32,23−33), wo Jakob nach einem nächtlichen Ringen mit Gott von Gott den Namen Israel erhält. Der Namenswechsel bedeutet, daß wir mit zwei selbständigen Sippen Jakob und Israel rechnen müssen. Beide Sippen sind eine Konföderation eingegangen. Sie mußten etwa beide gleich stark und gleich bedeutend gewesen sein, so daß die Ahnherrn zu einer Person zusammenschmolzen, identifiziert wurden. In Gen 33,20 erwirbt Jakob Grundrecht in Sichem und errichtet einen Kultstein, der den »El Elohei Israel« vergegenwärtigt, d. h. als Gottheit hatte sich nach der Konföderation der beiden Sippen nicht El, der Gott Jakobs, sondern El, der Gott Israels durchgesetzt. Wir müssen auch damit rechnen, daß das primäre Siedlungsgebiet des Israel-Clans das Gebiet um Sichem, hauptsächlich südlich von Sichem war, während das des Jakob-Clans weiter südlich in Betel lag. Noch viel später bezeugen die Samaria-Ostraka Nr. 42 und 48

aus der 1. Hälfte des 8. Jh. v. Chr. einen Distrikt Asriel = Israel, rund 10 km südlich von Sichem.

Für den Josef-Clan lag das Siedlungsgebiet nördlich Sichems etwa bis Dotan. Entweder hatte sich Josef der Konföderation Jakob–Israel nicht angeschlossen und mußte so auf Druck sein Gebiet verlassen oder er hat sich als der schwächere Teil angeschlossen und ebenfalls seine territoriale Integrität eingebüßt. Das Letztere scheint wahrscheinlicher zu sein. Die Unterordnung Josefs kommt auch deutlich in der Genealogie zum Ausdruck, da er als Sohn Jakobs/Israels figuriert. Josef dürfte dann am Anfang des 13. Jhs. v. Chr. sein Siedlungsgebiet geräumt haben und bis nach Ägypten abgewandert sein.

Besonders auffallend für die drei mittelpalästinischen Clans Jakob, Israel und Josef ist, daß sie mit der kanaanäischen Stadt Sichem in einem freundschaftlichen Verhältnis stehen, ja daß bereits ein Vertragsverhältnis zwischen Jakob/Israel und den Sichemiten (in Gen 33,19 ist der Ausdruck »Söhne Hamors« mit »Bundesgenossen« wiederzugeben) bestand. Nicht unähnlich ist diese Lage die der Amarnazeit, wo Labaja als König von Sichem mit den Apiru ebensolche Kontakte pflegte.

Die Geschichte des ostjordanischen Stammes Gad und der vier nordpalästinischen Stämme Ascher, Sebulon, Naftali und Issachar läßt sich kaum mehr bis ins 13. und 14. Jh. v. Chr. zurückverfolgen.

5.2 Herkunft der protoisraelitischen Sippen

In der Völkertafel Gen 10 werden die drei Söhne Noahs: Sem, Ham und Jafet mit ihren Nachkommen genealogisch dargestellt. Die Nachkommen Jafets repräsentieren die Mächte des Nordens, die Hams des Südens. Auf die Nachkommen Sems läuft die Völkertafel hinaus. Sie sind das Gewicht zwischen den Machtblöcken des Südens und des Nordens. In Gen 11,10–32 geht die Genealogie Sems direkt auf Abraham zu. Der Urgroßvater Abrahams ist Serug, sein Großvater Nachor, sein Vater Terach. Die Brüder Abrahams heißen Nachor und Haran. Lot ist der Sohn Harans. Die Frau Abrams/Abrahams heißt Sarai/Sara, die Frau Nachors Milka. Terach, der Vater Abrams brach von Ur in Chaldäa auf und zog nach Haran in Obermesopotamien und ließ sich dort nieder, obwohl sein Ziel eigentlich Kanaan war. Auf das Gebiet Harans weist ferner die Genealogie (Gen 22,20–24) der zwölf Söhne des Abraham-Bruders Nachor. Unter den Söhnen ist Betuel, der Vater Rebekkas, und Kemuel, der Stammvater der Aramäer. Die Nennung

Kemuels ist aufschlußreich. Er fungiert gleichsam als Bindeglied zwischen Amoritern und Protoaramäern. Daß die Patriarchen der Bibel mit diesen beiden semitischen Völkerwanderungen in Verbindung zu sehen sind, liegt auf der Hand. So war die ursprüngliche Heimat der Vorfahren Israels die Arabisch-syrische Wüste, später dann das mesopotamische Kulturland, bis sie sich schließlich in den Regionen Palästinas ansiedelten. Weitere Namenslisten von Gen 25,1−4.13−16 führen nach Südpalästina und Nordwestarabien. Unter den Abrahamssöhnen von Ketura ist auch Midian, der Stammvater der Midianiter, deren Gebiet das nördliche Arabien bis zum Golf von Aqaba ist. Der Sohn Abrahams von Hagar Ismael wird Vater von zwölf Söhnen, die die südlichen Wüsten zwischen Ägypten und Palästina bevölkern. Nach Gen 36,10−14 stammen von einem Enkel Abrahams, Esau, die Geschlechter der Edomiter ab, die den Süden und Südosten Palästinas bewohnen. Der Neffe Abrahams Lot wird als Stammvater der Moabiter und Ammoniter (Gen 19,30−38) verstanden.

So hält das Alte Testament mit Hilfe der Listen die Zusammengehörigkeit all dieser Gruppen fest. Das Kernland Palästinas aber bleibt den direkten »Nachkommen« Abrahams aufgespart.

In dem Gebet Dtn 26,5−9, das der Israelit bei der Darbringung der Erstlingsfrüchte auf dem Altar sprach: »Ein umherirrender Aramäer war mein Vater...« hat sich das spätere Israel die Erinnerung an seine aramäische Herkunft bewahrt.

5.3 Zu den Namen der Patriarchen

ABRAM/ABRAHAM: »der Vater ist groß, erhaben«; in außerbiblischen Zeugnissen von ca. 1800−700 v. Chr. als Personenname belegt. Der Wechsel von Abram auf Abraham dürfte mit dem Übertritt vom amoritischen Sprachraum Mesopotamiens zum kanaanäischen Palästinas zusammenhängen. Die Deutung des Namens in Gen 17,5 ist eine Volksetymologie.

SARAI/SARA: »Fürstin", in assyrischen Texten belegt.

ISAAK: Abkürzung des theophoren Namens Isaak-El »Gott möge lachen, gnädig sein«, bisher außerhalb des Alten Testamentes nicht belegt.

JAKOB: Abkürzung des theophoren Namens Jakob-El »Gott möge schützen«, seit dem 18. Jh. v. Chr. belegt.

ISRAEL: »Gott möge sich als Herr erweisen« oder »Gott strahlt«, als Personenname z. B. in den ugaritischen Texten belegt.

GENEALOGISCHE VERKNÜPFUNG DER AHNEN ISRAELS UND IHNEN VERWANDTER VÖLKER NACH DEM ALTEN TESTAMENT

(Gen 10. 11,10–32. 22,20–24. 19,30–38. 25,1–4.13–16. 36,10–14. 34,1. 41,50–52; Num 26,29)

SEM: Arpachschad: Schelach: Eber: Peleg: Regu: SERUG: NACHOR: TERACH:
$$\begin{cases} \text{NACHOR} \\ \underline{\text{ABRAHAM}} \\ \text{HARAN} \end{cases}$$

NACHOR   von Milka: Uz, Bus, Kemuel
                              Kesed, Haso, Pildasch
                              Jidlaf
                              BETUEL

                              REBEKKA, Laban

                von Reuma: Tebach, Gaham,
                              Tahasch, Maacha

NACHOR

von Hagar: Ismael

von Sara: ISAAK

ABRAHAM
von Ketura: Simran, Jokschan
              Medan, Midian,
              Jischbak, Schuach

ISAAK
von Rebekka: JAKOB, Essau
                     Edom

JAKOB/ISRAEL
von Lea: Ruben, Simeon, Levi, Juda, Issachar, Sebulon, Dina
von Rachel: Josef, Benjamin
von Bilha: Dan, Naftali
von Silpa: Gad, Ascher

JOSEF
Efraim, Manasse
Machir
Gilead

HARAN

LOT
Moab, Ammon

JOSEF: Abkürzung des theophoren Namens Josef-El »Gott möge hinzufügen«, außerbiblisch z. B. auch in ägyptischen Texten belegt.
Aus den Namen der Patriarchen wird deutlich, daß es Personennamen sind, die im 2. Jt. v. Chr. üblich waren und teils bis ins 1. Jt. v. Chr. hinein verwendet wurden. Aus den Namen ist soviel erkennbar, daß es sich um historische Personen handelt, aber das Vorkommen der Namen in außerbiblischen Zeugnissen erlaubt nicht schon den Schluß, die Patriarchen der Bibel einem bestimmten Zeitraum zuzuordnen.

5.4 Zu Brauchtum und Religion der Patriarchen

Die Patriarchen der Bibel waren Kleinvieh züchtende Halbnomaden, die in einem je unterschiedlichen Stadium zur Seßhaftigkeit waren. Das Kamel als Tier des Vollnomaden ist zwar erwähnt (Gen 12,16. 30,43. 32,16), doch handelt es sich dabei entweder um einen Anachronismus, wenn man annimmt, daß das Kamel um diese Zeit noch nicht domestiziert war, oder es spielt eine untergeordnete Rolle. Schaf und Ziegen züchtende Hirten sind besonders vom Klima abhängig und können sich im Unterschied zum Kamelnomaden kaum in echten Wüstenregionen behaupten. Sie benötigen für ihre Herden Gegenden, die eine jährliche Niederschlagsmenge von 250−500 mm aufweisen. Genau in dieser Klimazone Palästinas befinden sich auch die Aufenthaltsorte der Patriarchen: Sichem, Betel, Hebron, Beerscheba (Abb. 35). Bei der Aufzählung des Besitzes der Patriarchen wird das Kleinvieh auch durchwegs an erster Stelle genannt. Das Hirtenleben bedingt eine intensive Berührung mit der bereits seßhaften Bevölkerung. Die Halbnomaden beginnen z. B. Rinder in ihre Herden aufzunehmen und Land zu erwerben. Man darf sich allerdings den Prozeß der Seßhaftwerdung nicht linear denken. Die verschiedenen Stufen der bäuerlich-seßhaften und halbnomadischen Hirtenkultur sind in sich vertauschbar. Schon ansässige Bauern konnten ebenso durch widrige Umstände wieder zu nomadisierenden Hirten werden. Die notwendigen Kontakte von Halbnomaden mit dem Kulturland bringen es auch mit sich, daß sie auch gewisse Rechtsordnungen der Ansässigen übernehmen, obwohl ihre Sitten und Bräuche weiterhin noch stark von den nomadischen Gegebenheiten geprägt sind. Auffallend ist, daß es gerade zwischen den Texten von Nuzi aus dem 15. Jh. v. Chr., wo die Stadt hurritisch ist, und den Rechtsordnungen der Patriarchen erstaunliche Gemeinsamkeit gibt. Abraham und Isaak bezeichnen z. B. ihre Frauen Sara und Rebekka als ihre Schwestern (Gen 12,10−13. 20,1−17. 26,1−11). Aus Nuzi-Texten geht hervor,

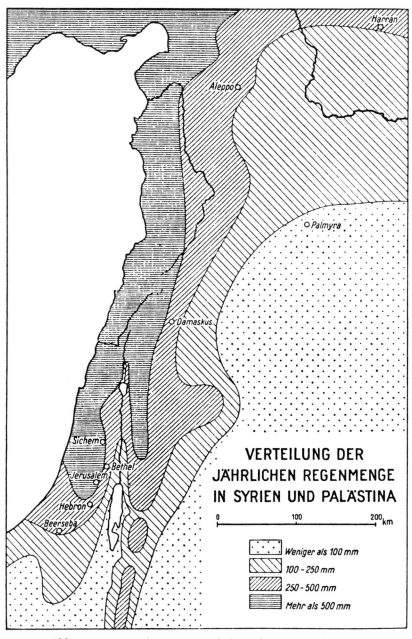

VERTEILUNG DER
JÄHRLICHEN REGENMENGE
IN SYRIEN UND PALÄSTINA

0	100	200 km

Weniger als 100 mm
100 - 250 mm
250 - 500 mm
Mehr als 500 mm

Abb. 35   Aus R. de Vaux, Die hebräischen Patriarchen, S. 63

daß eine Adoptivschwester Rechte und Pflichten wie eine Ehefrau hat. Eine Frau, die ihr natürlicher Bruder oder ihr Adoptivbruder zur Ehe gab, wurde gesetzlich »Schwester« ihres Mannes genannt. Sara könnte eine Adoptivtochter Terachs gewesen sein und daher nach ihrer Heirat mit Abraham den Titel »Schwester« getragen haben. Rebekka wurde von ihrem Bruder Laban dem Isaak zur Ehe gegeben und konnte daher ebenfalls den Titel »Schwester« ihres Mannes tragen. Die späteren biblischen Autoren haben bereits diesen Rechtsbrauch nicht mehr verstanden, so daß sie Verlegenheitslösungen anboten wie z. B. der Elohist in Gen 20,12.

Weiters kennen die Patriarchen das Recht der Adoption. Wäre Abraham kinderlos geblieben, so wäre nach Adoption sein Knecht Erbe geworden (Gen 15,1−3). Die beiden Kinder der Bihla werden von Rachel adoptiert (Gen 30,3−8) oder die beiden Josefsöhne Efraim und Manasse von ihrem Großvater Jakob (Gen 48,5). Die Kinder des Machir werden auf den Knien Josefs geboren, was ebenfalls einen Adoptionsritus darstellt (Gen 50,23). Diese Riten hat man kaum in späterer israelitischer Zeit erfunden, da das Adoptionsrecht dem mosaischen und jüdischen Gesetz unbekannt ist. Häufig begegnet jedoch die Adoption in Nuzi, wo sie vor allem das Erbrecht verleiht. Meist adoptierte man einen Sohn, wenn kein leiblicher Sohn vorhanden war. Wurde den Eltern jedoch später ein eigener Sohn geboren, verlor der Adoptivsohn sein Haupterbe.

Aus den Patriarchenerzählungen ist weiters bekannt, daß Abraham die Hagar, eine Dienerin seiner Frau Sara, als Nebenfrau nimmt (Gen 16,1 f.), weil Sara kinderlos war. Eine ähnliche Situation haben wir bei Jakob, der sowohl die Dienerin seiner ersten Frau Lea, Silpa, als auch seiner zweiten Frau Rachel, Bihla, zu Nebenfrauen nimmt.

Aus Nuzi ist ein Vertrag bekannt, der es einer unfruchtbaren Frau sogar zur Pflicht macht, ihrem Mann eine Dienerin zur Verfügung zu stellen, damit sie durch diese zu Kindern kommt. Die Ehefrau durfte die Kinder der Nebenfrau und sie selber nicht vertreiben, auch wenn sie später eigene Kinder bekommen sollte. Den gleichen Fall haben wir bei Abraham: Sara bringt Isaak zur Welt, nachdem Ismael schon von der Nebenfrau Hagar geboren worden war. Sara konnte sich bei der Verstoßung Hagars und Ismaels (Gen 21,10−13) auf kein Gesetz des Kulturlandes berufen!

Interessant ist auch ein Adoptionsvertrag aus Nuzi, in dem es heißt, daß die Hausgötter auf den Adoptivsohn übergehen, jedoch, falls ein leiblicher Sohn dennoch nachkommen sollte, dann auf diesen übergehen. Der Besitz der Hausgötter sicherte also das Anrecht auf die volle Erbschaft. Als Jakob mit seiner Familie Obermesopotamien verläßt, stiehlt Rachel die Hausgötter ihrer Familie und nimmt sie mit. Dem nacheilenden Laban gelingt es jedoch nicht, die Hausgötter zu finden, da Rachel eine entwaffnende Ausrede bereit hat (Gen 31). Als man im späteren Israel daran Anstoß nahm, daß es Rachel um Hausgötter gegangen ist und man den ganzen Sinn gar nicht mehr verstand, erklärte man die Hausgötter zu Terafim, ein Gerät der Mantik, wahrscheinlich eine Kultmaske zum Einholen von Orakeln.

Die Ähnlichkeiten zwischen Rechtsordnungen der Patriarchenerzählungen und den Texten von Nuzi sind erstaunlich. Es erübrigt sich jedoch anzunehmen, daß die Patriarchen irgendwie in Verbindung mit dem hurritischen Nuzi des 15. Jhs. v. Chr. gewesen sein könnten. Manche der Rechtsordnungen lassen sich viel früher in anderen Rechtssammlungen Mesopotamiens belegen. Aus dem bronzezeitlichen Palästina ist bisher keine solche Rechtssammlung bekannt, aber es ist selbstverständlich, daß in den kanaanäischen Stadtstaaten Palästinas ähnliche, wenn nicht gleiche, Rechtsverhältnisse herrschten. Dazu sei besonders erinnert, wie stark der hurritische Einfluß im spätbronzezeitlichen Palästina war, was sich sowohl in der Kleinkunst als auch in Personennamen feststellen läßt. Ja selbst mit einer starken hurritischen Aristokratie ist in den Stadtstaaten zu rechnen. Die Ähnlichkeiten mit den Texten von Nuzi zeigen daher nur, daß die Patriarchen in Palästina mit ähnlichen Rechtsbräuchen konfrontiert waren und diese im Laufe der Zeit auch von der urbanen Bevölkerung übernahmen. Diese Erzählungen der Genesis spiegeln daher nicht die Aufenthalte der Patriarchen im mesopotamischen Raum wieder, sondern den Prozeß des Seßhaftwerdens in Palästina in Verbindung und Konfrontation mit der vorhandenen palästinischen Kultur.

Aufgrund dessen scheint es mir möglich, diesen Prozeß ins 15. und 14. Jh. v. Chr. anzusetzen. Dabei ist noch nichts um eine zeitliche Ansetzung der Patriarchengestalten selbst ausgesagt, sondern nur über Sippen, die sich auf Gestalten wie Abraham, Isaak, Jakob, Israel und Josef zurückführten.

Für die religiösen Vorstellungen der Patriarchen sind die Vätergötter charakteristisch. Man muß damit rechnen, daß jede Sippe ihren Vatergott verehrte. Die Texte der Genesis (31,5.29. 43,25. 50,17) sprechen vom »Gott meines (deines, seines) Vaters«. Solche Formeln begegnen auch in der assyrischen Religion, und Vatergottheiten sind daher kein Spezifikum der Nomadenreligion. Die Vatergottheit war entweder namenlos oder ihr Name ist nur nicht genannt.

Daneben gibt es Formeln, die den Vaternamen hinzufügen: der Gott Abrahams (Gen 31,53) oder »der Gott deines Vaters Abraham« (Gen 26,24), »der Gott Isaaks« (Gen 28,13. 32,10. 46,1), »der Gott Nachors« (Gen 31,53). Dazu treten sehr altertümlich wirkende Gottesbezeichnungen wie »Schild Abrahams« (Gen 15,1), »Verwandter Isaaks« (Gen 31,42.53), »Verteidiger Jakobs« oder »Fels Israels« (Gen 49,24).

Auf jede Sippe fällt eine Gottheit; mit Ausdrücken wie »Schild Abrahams« etc. wird das Verhältnis der Gottheit zur Sippe beschrieben, charakterisiert.

Diese Vatergottheiten sind sehr hintergründige Gottheiten. Sie sind nicht bodenständig und begleiten die Hirten auf ihren Wanderungen, zeigen ihnen die neuen Weideplätze für die Herden. Die Sippengottheiten offenbaren sich dem Menschen meist im Traum. Der Ahnherr der Sippe hatte eine Traumoffenbarung, in der die Gottheit Nachkommen und Landbesitz verheißt. Um die Verheißung zu verwirklichen, tritt der Ahnherr und seine Sippe in eine dauernde Lebensgemeinschaft mit der Gottheit ein. Grundlage dieser Lebensgemeinschaft ist das unerschütterliche Vertrauen. Die Sippenangehörigen fühlen sich als Kinder, Brüder, Verwandte der Gottheit.

Bedingt durch die Konföderation, die die einzelnen Sippen eingehen, verschmelzen auch ihre Vatergottheiten miteinander. Dieser Verschmelzungsprozeß kann unterschiedlich ausfallen: entweder setzt sich nur der Gott des stärkeren Stammes durch, oder er figuriert am Beginn einer Aufzählung von Gottheiten wie z. B. »Gott deines Vaters, der Gott Abrahams, der Gott Isaaks und der Gott Jakobs« (Ex 3,6).

Durch den Kontakt mit dem Kulturland und seinen Bewohnern nehmen die Hirten auch Elemente der kanaanäischen Religion auf, dies besonders dann, wenn sie mit einer städtischen Bevölkerung in ein Vertragsverhältnis treten, wie dies bei Sichem belegt ist, wo die bereits konföderativen Clans Israel, Jakob und Josef ihre Gottheit nun »El Elohei Israel«, »El, den Gott Israels« bezeichnen (Gen 33,20). Die ursprünglich namenlose Gottheit wird mit dem kanaanäischen El von Sichem gleichgesetzt. Eine ähnliche Situation haben wir in Betel, wo Jakob den El von Betel mit seinem Vatergott identifiziert (Gen 28). Eine Gleichsetzung zwischen dem kanaanäischen Summus Deus El und einzelnen Vatergottheiten war leicht möglich, da El als die hintergründige Gottheit des kanaanäischen Pantheons ähnliche Züge aufweist.

Es sei jedoch darauf hingewiesen, daß es nicht auszuschließen ist, daß die nomadischen Sippen bereits El als allgemeine Bezeichnung für Gott kannten. Es wäre religionsgeschichtlich nicht auszuschließen, daß neben den Sippengottheiten ein El »Gott« als höchstes Wesen anerkannt wurde, das freilich in der Verehrung kaum eine Rolle gespielt haben dürfte, aber die spätere Identifizierung der Vatergottheiten mit dem konkreten kanaanäischen El erleichterte. Es ist auch zu beachten, daß bereits alte Namen wie Jakob-El, Josef-El, Isma-El, Isra-El das theophore Element »El« enthalten. Ob wir allerdings in diesem theophoren Element bereits den Eigennamen des kanaanäischen El vor uns haben oder El als allgemeine Bezeichnung für Gott, ist nicht mehr zu erweisen. Neben dieser Hirtenreligion, wie sie uns für die Patriarchen der Späten Bronzezeit in Palästina begegnet, muß jedoch darauf hingewiesen werden, daß nomadische Sippen und Stämme auch Ortsgottheiten verehren konnten. Das beste Beispiel sind die Midianiter Nordwestarabiens, die nach der biblischen Genealogie als Nachkommen des Abrahamsohnes Midian von Ketura gelten. Die Midianiter verehrten an ihrem heiligen Berg, wahrscheinlich dem vulkanischen Kegel Hala el-Bedr in al-Dschaw, den feurigen Gott JHWH, der später der Gott Israels werden sollte.

Für das spätere Israel galt JHWH als der alleinige und einzige Gott, dennoch aber hat die Bibel selber Erinnerungen daran bewahrt, daß die Väter fremde Götter verehrten (Gen 35,1−7, Jos 24,2.14f.), und wird daher der historischen Wirklichkeit durchaus gerecht. Aufgabe der Theologen Israels war es aber, eine Brücke zwischen den fremden Göttern der Erzväter und dem Gott Israels JHWH zu finden. In unvergleichlicher Weise gelingt dies der Elohistischen Theologenschule des Nordreiches Israel in der ersten Hälfte des 8. Jhs. v. Chr., indem sie in Ex 3,6 JHWH selber sagen läßt: »Ich bin der Gott deines Vaters, der Gott Abrahams, der Gott Isaaks und der Gott Jakobs«; d. h. »übersetzt«: es sind letztlich nicht drei verschiedene Gottheiten, sondern nur Einer, den die Bibel JHWH nennt, der die Menschen, die Ahnen Israels, unter vielfältig anderen Bezeichnungen seit jeher begleitet hat.

5.5 Zum zeitlichen Ansatz der Patriarchen

Aus dem bisher Dargelegten hat sich bereits ergeben, daß für die langsame Seßhaftwerdung der Patriarchensippen in Süd- und Mittelpalästina die Späte Bronzezeit, näher das 15. und 14. Jh. v. Chr. am überzeugendsten erscheint. Die Ahnväter der Sippen können jedoch auf eine frühere Zeit zurückweisen, wovon die Bibel in den Wanderungen der

Sippe Terachs von Ur nach Haran Erinnerungen bewahrt haben könnte. Es ist zwar an den Patriarchen als historischen Personen festzuhalten, aber sie selber müssen z. B. überhaupt nicht in Palästina gewesen sein. Erst ihre Nachkommen, die sich in Palästina ansiedelten, können ihre Namen mit ins Land gebracht haben und lokalisierten sie an Orten, die für sie im Laufe von Generationen wichtig geworden waren und verbanden die Erzväter mit den einheimischen, kanaanäischen Traditionen.

5.6 Von der Josefsippe in Ägypten bis Josua (Abb. 36)

Die Situation der nomadisierenden, teils schon ansässigen Gruppen in Palästina beginnt sich ab dem ersten Viertel des 12. Jhs. v. Chr. grundsätzlich zu ändern, als Josua mit seinen Leuten nach Mittelpalästina vorstößt. Woher kommt Josua? Um diese Frage zu beantworten, müssen wir auf den Ägyptenaufenthalt und Auszug zu sprechen kommen. Freilich gibt es keinen ägyptischen Text, der vom Aufenthalt eines hebräischen Stammes in Ägypten wüßte. Solche Ereignisse waren für die ägyptische Politik viel zu belanglos, als daß sie schriftlich festgehalten wurden. Dennoch gibt es aber auch ägyptische Texte, in deren Rahmen sich der Ägyptenaufenthalt der Josef-Sippe einordnen läßt. In Ex 2,11 heißt es: »Sie mußten dem Pharao die Vorratsstädte Pithom und Ramses bauen.« Diese beiden Städte im östlichen Delta hat Ramses II. ausbauen lassen, um sich eine Großresidenz zu schaffen. Die Stadt Ramses' dürfte das alte Auaris, Tell el-Daba, sein. Als Bauarbeiter wurden von den Ägyptern auch Apiru herangezogen. Apiru sind zwar mit Hebräern nicht identisch, aber sie können ebenso bezeichnet werden. Nomadisierende Gruppen trieb immer wieder der Hunger nach Ägypten, aber auch der exotische Reiz, der vom Nilland ausging. Ein ägyptischer Text aus dem Jahre 1192 v. Chr. lautet:

...Eine andere Mitteilung für meinen (Herrn): Wir sind damit fertig geworden, die Schasu-Stämme von Edom durch die Festung des Merneptah in Tkw gehen zu lassen..., um sie und ihr Vieh durch den guten Willen des Pharao, der guten Sonne eines jeden Landes, am Leben zu erhalten... (AOT 97)

Diese Schasu-Stämme aus Edom werden in Ägypten aufgenommen, und sie kommen praktisch in die gleiche Gegend, in der auch die Hebräer nach Ex 1,11 wohnten. Hier bietet sich durchaus ein interessanter Vergleich an.

93

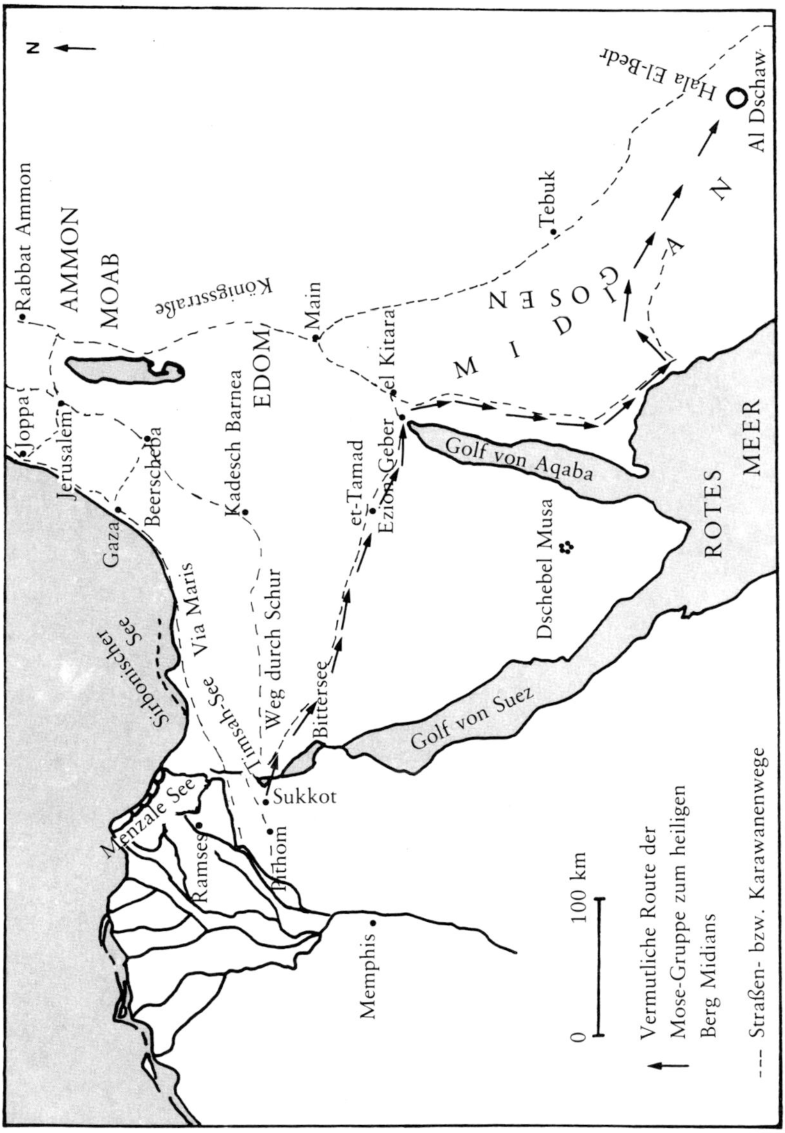
N
Rabbat Ammon
AMMON
MOAB
Königsstraße
Joppa
Jerusalem
Beerscheba
Gaza
Kadesch Barnea
EDOM
Main
el Kitara
et-Tamad
Ezion-Geber
Tebuk
Hala El-Bedr
Al Dschaw
GOSEN
MIDIAN
Golf von Aqaba
ROTES MEER
Dschebel Musa
Via Maris
Sirbonischer See
Weg durch Schur
Timsah-See
Bittersee
Golf von Suez
Menzale See
Ramses
Sukkot
Pithom
Memphis
0
100 km
Vermutliche Route der Mose-Gruppe zum heiligen Berg Midians
Straßen- bzw. Karawanenwege

Abb. 36

1500 v. Chr.	
1400 v. Chr.	Ansiedlung der Abraham-Sippe und Isaak-Sippe in Südpalästina
	Ansiedlung der Jakob/Israel/Josef-Sippe in Mittelpalästina
1300 v. Chr.	Sippen der später so bezeichneten Stämme: Dan, Ruben, Simeon, Levi in Mittelpalästina, Gad im Ostjordanland Ascher, Sebulon, Issachar, Naftali in Nordpalästina Juda in Südpalästina
	Wechsel der Siedlungsgebiete: Simeon nach Südpalästina Ruben ins Ostjordanland Dan nach Nordpalästina Josef wird vertrieben und kommt bis Ägypten
1200 v. Chr.	Nachkommen der Josef-Sippe erreichen zusammen mit benjaminitischen Sippen unter Führung Josuas Mittelpalästina

Mit dem Ägyptenaufenthalt und Auszug ist in der biblischen Überlieferung die Gestalt des Mose untrennbar verknüpft. Mose ist ein ägyptischer Name, der von der Wurzel *msj* »gebären« gebildet ist, wie auch die Namen Tutmosis oder Ramses. Außerbiblische Quellen gibt es über Mose nicht. Ob die Notizen bei Manetho (Josephus, Contra Apionem I, 228 f. 250) auf einer ägyptischen Quelle beruhen, ist unwahrscheinlich.

Der Name Mose ist zwar ägyptisch, aber die Bibel betont sehr, daß er von nichtägyptischen, hebräischen Eltern abstammt. Seine Kindheitsgeschichte wurde später mit einem Märchenmotiv ausgestaltet (vgl. die Geburtslegende Sargons I. AOT 234–235). Aus der ägyptischen Geschichte ist bekannt, daß Semiten auch hohe Posten bekleiden konnten. Besonders Pharao Haremhab hat sich um die Ausbildung von Semiten bemüht. Man kann sich Mose gut als einen Semiten vorstellen, der in Ägypten eine Beamtenschule besucht hat und so die Bildung erlangte, die ihn befähigen sollte, die Geschicke der Josef-Sippe in die Hand zu nehmen. Der Name der Mutter des Mose ist Jokebed (Ex 6,20, Num 26,59). Dieser Name kann das theophore Element Ja(hwe) beinhalten, was die Mutter des Mose bereits als eine JHWH-Verehrerin ausweisen würde. JHWH war ursprünglich ein midianitischer Gott und die Mutter des Mose könnte Midianiterin gewesen sein. Nach seiner Flucht aus Ägypten geht Mose auch nach Midian in das nordwestliche Arabien und heiratet dort Zippora, eine Tochter des midianitischen Fürsten Jitro. In Midian macht Mose seine entscheidende Gotteserfahrung, die des fordernden Gottes JHWH vom Sinai. Der ursprüngliche Sinai ist vermutlich der Hala el-Bedr (Abb. 36) in al-Dschaw. Für die midianitische Herkunft der Familie des Mose spricht auch der Name seiner Schwester Mirjam. Schon in Midian kann Mose den Widerstand gegen Ägypten geplant haben. Nach Ägypten zurückgekehrt, dürfte es ihm nicht schwer gefallen sein, die Nachkommen der Josef-Sippe für eine Flucht aus den Sklaverei-ähnlichen Zuständen zu gewinnen.

Die Ostgrenze des ägyptischen Reiches war durch einen Festungsgürtel so abgesichert, daß es nicht leicht gewesen sein konnte, ihn unbemerkt mit einer größeren Gruppe zu passieren. Die biblische Überlieferung gibt etwa zwei Lösungen für das Passieren der Grenze an. Nach der jüngsten Quelle des Pentateuch, der Priesterschrift, erfolgte der Auszug im Gebiet des sirbonischen Sees, also im Norden. Hier haben antike Schriftsteller wie Diodor (1. Jh. v. Chr.) und Strabo (63 v. Chr. bis 19 n. Chr.) allerlei Naturphänomene beobachtet, die man zur Erklärung der biblischen Berichte gerne heranzog. Doch die Unterschiede sind zu groß, als daß sich ein Vergleich anstellen ließe. Es ist auch ganz unwahrscheinlich, daß die Fliehenden die am besten bewachte *via maris* genommen hätten. Die älteste Quellschrift des Pentateuch, der Jahwist, verlegt den Auszug in das Gebiet der Bitterseen (Ex 13,20). Sie brachen von Sukkot auf, dem ägyptischen *Tkw*, und gelangten in das Sumpf- und Morastgebiet zwischen Bittersee und Timsah-See. Das Meer des Durchzugs heißt in der Bibel »Jam Suf«, Schilfmeer. Die Ägypter konnten z. B. das Gebiet süd-

lich des Mezale-Sees »Papyrussumpf« nennen, was etwa dem hebräischen Jam Suf entspricht. In diesem unwegsamen Gelände bot sich die
beste Möglichkeit für eine Flucht aus Ägypten. Der Weg wurde vorher
sicherlich auch entsprechend gesichtet. Eine verfolgende ägyptische
Grenzgarnison hatte mit ihren Streitwagen in diesem Gelände keine
Chance.

Dieses Ereignis, so historisch unbedeutend es auch für Ägypten war,
wurde prägender Faktor des späteren Volkes Israel in dem Bekenntnis,
daß JHWH sie mit »starker Hand« aus Ägypten geführt hat. Eine Zahl
der Fliehenden anzugeben ist kaum möglich. Höchstens ist mit einigen
Hundert zu rechnen. Den weiteren Weg dieser Gruppe kann man trotz
der verschiedenen Itinerarien in Ex und Num nicht mehr rekonstruieren,
da sich die angegebenen Orte – oft wohl nur temporäre Lagerplätze –
selten identifizieren lassen. Zielpunkt der Mose-Gruppe ist der heilige
Berg. Dieser ist weder in der Oase Kadesch noch auf der südlichen Sinaihalbinsel, sondern im Stammesgebiet der Midianter in Nordwestarabien
zu suchen. Ein Aufenthalt der Mose-Gruppe in Kadesch ist völlig
unwahrscheinlich. Die Kadesch-Tradition der Bibel ist eine sekundäre
Erweiterung der Sinaitradition. Die Kadesch-Tradition kam durch dort
ansässige Sippen, die später in Gesamtisrael aufgegangen sind, hinzu.
Neben den schon vorher angeführten Gründen der Lokalisierung des
Sinai/Horeb in al-Dschaw spricht auch die Jahwistische Sinaitheophanie
dafür, die als vulkanisches Phänomen geschildert wird. Und vulkanische
Berge hat es in historischer Zeit auf der Sinaihalbinsel nicht mehr gegeben, wohl aber in Midian.

Am heiligen Berg Midians ergeht die Offenbarung JHWH's an Mose
und seine Leute. JHWH schließt mit Israel den grundlegenden »Bund«.
Viel spätere theologische Spekulation hat hier den historischen Sachverhalt verdeckt. Was sich in al-Dschaw abspielte, ist ein feierliches Bündnis zwischen Mose und seiner Gruppe, wobei er sie eidlich auf seinen
Gott JHWH verpflichtet. Dabei spielen heilige Steine und ein Blutritus
eine Rolle (vgl. Ex 24), wie auch eine feierliche Mahlzeit, also Elemente,
die wir bereits für Konföderationen zwischen Nomadenstämmen kennen. Alle jene, die das Bündnis eingehen, nehmen gewisse Verpflichtun-
gen auf sich, worin wir vielleicht die Urform des Dekalogs sehen können. Von al-Dschaw brechen sie mit Mose auf, um in ihr ehemaliges
Siedlungsgebiet in Mittelpalästina zurückzukehren. Am Nebo im Ange-
sicht Kanaans stirbt Mose und Josua übernimmt die Führung der
Gruppe. Nach der Überlieferung des Josua-Buches wurde Palästina in
relativ kurzer Zeit erobert:

– Durch die Einnahme von Jericho und Ai wurde ein Stützpunkt geschaffen (Jos 6−9).
– Die zweite Aktion richtet sich gegen den Süden. Unter Umgehung Jerusalems wurde das Gebiet des späteren Stammes Juda in Besitz genommen.
– Ein Feldzug nach Galiläa bringt abgesehen von Geländegewinn und der Zerstörung von Hazor? nicht viel.

Wenn wir die Archäologie über das Ende des 13. Jhs. v. Chr. in Palästina befragen, so kann sie uns einigen Aufschluß geben (Abb. 37). Es hat zu diesem Zeitpunkt einige kriegerische Handlungen gegeben, die das kanaanäische Stadtstaatsystem schwächten. Einige Städte wurden zerstört. Dadurch war es für nachdringende nomadisierende Stämme möglich, sich in den Gebirgsgegenden Palästinas anzusiedeln.

Von einer Eroberung Mittelpalästinas durch Josua hören wir nichts. Hier siedelten ja die Nachkommen der Sippen Jakob−Israel. Josua mußte vor allem bestrebt sein, einmal einen sicheren Platz für seine Gruppe zu finden. Dazu bot sich Sichem und seine Umgebung an. Von hier aus konnte Josua Aktionen gegen kanaanäische Städte planen. Betel-Ai lag am nächsten. Jos 8,28 berichtet von der Zerstörung der Stadt Ai. Das alte Ai war jedoch zu diesem Zeitpunkt bereits 1000 Jahre eine Ruine und es existierte nur eine relativ kleine Siedlung, die Josua erobert haben könnte. Das nahe Betel wird schon einige Jahrzehnte vorher zerstört worden sein, aber es ist auch nicht auszuschließen, daß es Josua zerstört hat. Mit Jericho verhält es sich ähnlich wie mit Ai. Es war schon Jahrhunderte eine Ruine. Doch kann auch hier eine kleine, unbefestigte Siedlung existiert haben, die Josua eroberte. Durch solche Erfolge ermutigt, konnte Josua zu größeren Aktionen schreiten. Durch eine schlaue Bündnispolitik mit den Gibeoniten versetzte Josua die Kanaanäer der Schefela in Unruhe. Eine kanaanäische Koalition griff daraufhin Gibeon an, das wiederum Josua zu Hilfe rief. Durch einen Überraschungsangriff besiegte Josua die Koalition (Jerusalem, Hebron, Jarmut, Lachisch, Eglon, Gezer). Ob auch die Zerstörung der kanaanäischen Städte der Schefela wie Libna, Lachisch, Debir u. a. auf Josua zurückgeht, läßt sich kaum entscheiden. Auch die Zerstörung des nordpalästinischen Hazor geht wahrscheinlich nicht auf Josua zurück. Josua war Realpolitiker genug, um zu wissen, daß er mit seinen Aktionen und seinen Leuten, die der Kriegsführung unkundig waren und auch rüstungsmäßig den Kanaanäern unterlegen waren, kaum die Hauptmasse des Kanaanäertums treffen konnte. Aber Erfolge hatte er und auf diese gestützt konnte er sich eine Autorität verschaffen, die die schon

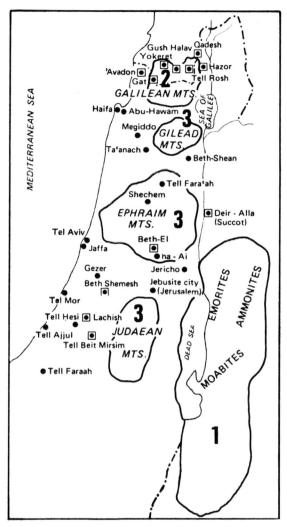

Abb. 37   Aus S. M. Paul/W. G. Dever, Biblical Archaeology, Abb. 5

1 = Staaten, die sich im 14. Jh. und am Anfang des 13. Jhs. konstituiert haben
2 = Israelitische Siedlungen südlich der kanaanäischen Städte
3 = Gebirgsgegenden, die die Israeliten besiedelten
● = Kanaanäische Städte
◙ = Kanaanäische Städte, die am Ende des 13. Jhs. zerstört worden sind, ver-
  mutlich von israelitischen Stämmen

ansässigen Stämme und Sippen in ihm den gegebenen Führer erkennen ließ. Ein intensiveres Ansässigwerden der einzelnen Sippen und Stämme war nun leichter möglich geworden. Die weitere Geschichte dieser Ansiedlung erfolgte teils kriegerisch, teils friedlich. Als Beispiel einer friedlichen Weiterentwicklung kann das Land Hefer gelten. Die vermutliche Hauptstadt von Hefer war Tirza. Zwischen Hefer und den Vorfahren des späteren Stammes Manasse ist es zu einer Konföderation gekommen. Als der letzte König von Hefer: Zelofhad ohne männlichen Erben starb, fiel sein Gebiet der Konföderation zu (Num 27,1−11. 36,1−12, Jos 19,4−6, 1 Chr 7,14−19). Andererseits zeigt auch die Archäologie, daß das 12. und 11. Jh. v. Chr. äußerst unruhig gewesen ist. Fast alle Städte Kanaans weisen eine mehrmalige Zerstörung auf. Jos 24 berichtet, daß Josua alle Stämme Israels in Sichem nach Abschluß der erfolgreichen Landnahme versammelt. Die frühere Forschung hat gerne vom »Land von Sichem« gesprochen. In Sichem hätten sich die Stämme zur Amphiktyonie konstituiert (unter Anphiktyonie versteht man den Zusammenschluß von 12 oder 6 Stämmen mit einem Zentralheiligtum, einheitlicher Außenpolitik und Kriegsführung, wie es für den griechischen und italischen Raum belegt ist). Diese Theorie wird heute immer mehr angezweifelt. Zur Zeit Josua hat es noch keine zwölf Stämme gegeben. Es gab auch nie eine althebräische Amphiktyonie. Was Jos 24, eine deuteronomische Predigt aus dem 7. Jh. v. Chr., historisch spiegelt, ist der Abschluß einer feierlichen Konföderation zwischen Josua und seinem Clan und den schon ansässigen Sippen Jakob/Israel. Der Gott der konföderativen Sippen war ab jetzt nicht mehr der »El Elohei Israel«, sondern der JHWH Elohei Israel. Jakob/Israel wurde die eidliche Verpflichtung abgenommen, ausschließlich dem Gott Josuas und seiner Sippe, JHWH, zu dienen. Dieses Ereignis kann man etwa um 1200 v. Chr. ansetzen. Hier hat der JHWH-Glaube im palästinischen Kulturland seinen historischen Fixpunkt und verbreitet sich von Mittelpalästina aus sehr rasch. Der Glaube an JHWH ist einer der wesentlichen Pfeiler für die weitere geschichtliche Entwicklung der protohebräischen Sippen bei ihrer immer intensiveren Ansiedlung in Kanaan und bei ihrem Übergang von konföderativen Stämmen zu einem Volk.

IV. Eisenzeit oder Israelitische Periode
(1200–587 v. Chr.)

1. DIE VOLKWERDUNG ISRAELS
(1200–1004 v. Chr.)

Vom Ende des 13. Jhs. bis zum 11. Jh. v. Chr. konsolidieren sich die halbnomadischen Gruppen immer mehr zu einem Volk. Archäologisch sprechen wir von der beginnenden Eisenzeit. Durch die völkische Umschichtung läßt sich in Palästina ein arger Verfall der hohen bronzezeitlichen Kultur feststellen. Die Siedlungen der Halbnomaden unterscheiden sich beträchtlich von den noch verbliebenen kanaanäischen Stadtstaaten. Die kanaanäischen Häuser sind gut und geräumig gebaut, die Fußböden zementiert oder gepflastert. Es gab eine gute Kanalisation und ausgetüftelte Wasserleitungsanlagen. Wertvolle Kunstgegenstände aus der Ägäis und aus Ägypten schmückten Häuser wie Menschen. Die typisch halbnomadischen Siedlungen wie z. B. Schilo, Betel, Mizpa, Gibea, Bet Zur, Debir u. a. zeigen ein ganz anderes Bild. Die Häuser sind primitiv, die Mauern mit unbehauenen Steinen grob verlegt. Luxusgegenstände aus dem Ausland fehlen. Die Keramik ist einfach.
Besonders das Buch der Richter gibt einen Überblick über diese Zeit. Das Buch beinhaltet altes Material, doch es wurde bereits in einer bestimmten theologischen Konzeption redigiert. Typisch für diese Zeit sind die Retter (Richter), charismatische Führergestalten. Die Gesellschaftsordnung der Halbnomaden war noch durchaus stammesmäßig-patriarchalisch. Sie wird jedoch im Laufe des Assimilierungsprozesses abgeschwächt. Es kam immer weniger auf das Band der Verwandtschaft an, sondern mehr auf das territoriale Prinzip.
In jeder Rettererzählung spiegelt sich der Kampf mit einem bestimmten Typ von Feind. Gefährlich war der Zusammenstoß mit dem Kanaanäertum (Ri 4 und 5). Nord- und mittelpalästinische Stämme fochten unter Debora und Barak diesen Kampf aus. Der charismatischen Führerin Debora gelang es, ein Höchstmaß an nationaler Einheit zu schaffen. Unter Ausnutzung der topographischen Gegebenheiten gelang es Debora und Barak, einen Sieg zu erringen, wodurch die kanaanäische Position erheblich schwächer wurde. Diese Schwächung der Kanaanäer hatte zur Folge, daß neue Nomadenstämme, besonders Midianiter, ins Kulturland vordrangen und die Bevölkerung bedrohten und beraubten. Den Kampf gegen die Midianiter führte Gideon/Jerubbaal. Der Haupt-

kampf wurde in der Jesreel-Ebene bei En-Dor ausgetragen. Der Feind war zahlenmäßig überlegen und verwendete das Kamel als Kampfwaffe. In einem nächtlichen Überraschungsangriff gelang es aber Gideon, die Midianiter in die Wüste zurückzutreiben. Gideon selber war bereits mit einer Kanaanäerin aus Sichem verheiratet. Aus dieser Ehe stammte Abimelek, der seine Abstammung und das Prestige seines Vaters so auszunützen verstand, daß er in Sichem sogar König wurde. Bald jedoch kam es zum Bruch mit der lokalen Aristokratie, wobei Abimelek das spätbronzezeitliche Sichem zerstörte (Ri 9). Als Abimelek den Aufstand weiter unterdrücken wollte, fand er bei der Belagerung von Tebez einen unrühmlichen Tod. Im Ostjordanland machten die Moabiter zu schaffen, bis sie Ehud nach Ermordung ihres Königs Eglon vertreiben konnte. Dadurch erstarkten wieder die Ammoniter und bedrohten Gilead südlich des unteren Jabbok. In dieser Situation wandten sich die Gileaditer an Jiftach. Nachdem seine Verhandlungen mit den Ammonitern scheiterten, kam es zum Krieg. Jiftach eroberte südlich von Rabbat-Ammon zwanzig ammonitische Städte.

Neben der Bedrohung von außen gab es aber auch innere Schwierigkeiten und Fehden, die blutig ausarten konnten, wie das Schibbolet-Ereignis oder die Erzählung von Gibeas Schandtat (Ri 19–21) zeigen können.

Die gefährlichsten Feinde waren jedoch die Philister. Die Philister, ein nichtsemitisches Volk, gehören zur Bewegung der Seevölker, die schon im 14. Jh. v. Chr. in den vorderasiatischen Raum einsickerten. Die Hauptmasse der Seevölker überschwemmte aber erst Ende des 13. Jhs. v. Chr. den Alten Orient und Ägypten. Erst Ramses III. konnte 1186 v. Chr. die Seevölker mit Mühe besiegen. Die Philister haben sich dann in der südlichen Küstenebene Palästinas angesiedelt. Ihre wichtigsten Städte wurden: Gaza, Aschkelon, Aschdod, Ekron, Gat. Durch ihre Kenntnis der Eisenbearbeitung waren sie in der Kriegsführung den Israeliten überlegen. Im Jahre 1050 kam es bei Eben Ezer und der philistäischen Basis Afek zum Kampf gegen die mittelpalästinischen Stämme. Die Philister zerstörten das Heiligtum von Schilo, wo auch die Bundeslade stand, vermutlich eine Art Tragaltar, der zum religiösen Troß von Nomaden gehörte. Der philistäische Sieg war so gewaltig, daß die Philister ein halbes Jahrhundert über einen Großteil Westpalästinas herrschten. Sie monopolisierten die Eisenbearbeitung, um ihre militärische Überlegenheit behalten zu können (1 Sam 13,19–22). Neben diesen neuen Waffen war die philistäische Kampfkraft auch durch eine besonders gut ausgebildete Kriegeraristokratie gewährleistet. Diese gefährlichsten aller Gegner des werdenden Israel brachten aber auch in anderer Hinsicht die entscheidende Umwälzung mit sich. Das werdende Israel mußte eine stabilere Staatsform finden, um gegenüber den Philistern bestehen zu können.

Die Philistergefahr und auch neuerliche Angriffe der Ammoniter im Ostjordanland sind der eigentliche Hintergrund, daß Saul zum König gesalbt wurde. Saul, der Sohn des Kisch, stammte aus Gibea, wo er vermutlich schon ansässiger Bauer war. Nach 1 Sam 11 kommt der Geist JHWH's über Saul, als er zum erstenmal öffentlich auftritt. Schon in 1 Sam 10,1 heißt es, daß Saul vom Propheten Samuel zum »Führer« gesalbt wurde. Eine solche Salbung bedeutete eine Aussonderung dieses Menschen und Erwählung zu einem bestimmten Führeramt. Saul fühlte sich so berufen, den Leuten von Jabesch im Ostjordanland gegen die Ammoniter beizustehen. Mit dem Heerbann der Stämme konnte er die Ammoniter schlagen und wurde danach in Gilgal »vor JHWH« zum König ausgerufen. Neben die sakrale Erwählung durch den Propheten tritt jetzt gleichsam der demokratische Akt, eine Eigenart, die auch das spätere Königtum des Nordreiches Israel beibehalten wird.

Das Königtum war jedoch den israelitischen Stämmen doch noch sehr fremd, und es wird genug Widerspruch gegeben haben, was wir von manchen Erzählungen des ersten Samuelbuches noch erschließen können.

Mit den Philistern hatte es Saul freilich nicht so einfach wie mit den Ammonitern. Der Sohn Sauls, Jonatan, überfiel mit einer Truppe den Philisterposten von Gibea und siegte. Das war das Signal zum Kampf. Die Philister zogen ihre Posten auf dem westjordanischen Gebirge zusammen und sammelten sich in Michmas. Saul und Jonatan lagerten in Geba. Ein Überraschungsangriff Jonatans brachte wieder den Sieg. Als Folge des Sieges wurden alle Philisterposten vertrieben. Psychologisch waren diese Siege wichtig, obwohl sie natürlich nur über Vorposten der Philister und nicht etwa über eine wirkliche philistäische Streitmacht errungen worden sind. Dieser Kampf stand noch bevor! Saul residierte in seiner Heimatstadt Gibea und baute sich auch einen bescheidenen Palast. Er hatte dort eine kleine Truppe um sich, seinen Sohn Jonatan, seinen Vetter Abner, den Heerführer, und seinen Waffenträger David.

Als Saul nach einem siegreichen Feldzug gegen die Amalekiter nicht den Bann über den feindlichen König Agag vollzog, kam es zum Zerwürfnis mit dem Propheten Samuel. Der Prophet hieb dann selber König Agag »vor JHWH« in Stücke. Samuel distanzierte sich immer mehr von Saul.

Dadurch verloren Saul und sein Königtum immer mehr an Ansehen bei den Stämmen. Samuel sprach die Verwerfung des Königs durch JHWH aus: »Der Geist JWHW's war von Saul gewichen, und ein böser Geist von JHWH pflegte ihn zu überfallen.« (1 Sam 16,14) Von da an mißtraute Saul dem David immer mehr.

Nach Vertreibung ihrer Vorposten ließen sich die Philister einige Monate Zeit und bereiteten gründlich einen Gegenschlag vor. In Afek zogen sie ihre Truppen zusammen und schnitten die nordpalästinischen Stämme vom saulidischen »Staat« ab. Saul stand jetzt nur mehr der Heerbann der mittel- und südpalästinischen Stämme zur Verfügung. Bei der Harod-Quelle im Gebirge Gilboa kam es zur Schlacht. Die Lage für Saul war aussichtslos. 1 Sam 28,3−25 berichtet, daß Saul in seiner Verzweiflung des Nachts vor der Schlacht verkleidet zur Totenbeschwörerin von En-Dor gegangen ist, um Samuels Totengeist zu befragen. Die Antwort, die er erhielt, war trostlos genug!

Der Angriff der Philister führte zur Auflösung des israelitischen Heerbannes. Sehr viele kamen ums Leben. Saul tötete sich selber. Als die Philister seine Leiche und die seiner Söhne fanden, nahmen sie noch grausame Rache. Sauls Kopf schlugen sie ab und trugen ihn als Siegestrophäe durch ihre Städte. Seinen Leib und die Leiber seiner Söhne pfählten sie auf der Stadtmauer von Bet-Schean. Leute von Jabesch, die Saul einst vor den Ammonitern gerettet hatte, bestatteten heimlich die Leichname. Die Situation war für die israelitischen Stämme trostlos geworden. Die Philister besetzten jetzt praktisch ganz Palästina.

2. DAS DAVIDISCH-SALOMONISCHE GROSSREICH UND DIE REICHSTEILUNG VON 926 V. CHR.

Nach dem problematischen Königtum Sauls tritt eine Gestalt immer mehr in den Mittelpunkt: David. Er stammte aus Betlehem, dem Hauptort des Stammes Juda, der mit David nun erstmals geschichtlich bedeutsam hervortritt. David war zuerst Waffenträger Sauls, zog sich aber bald die Mißgunst des Königs zu. Als David der Aufenthalt bei Saul zu gefährlich wurde, floh er, unterstützt durch seine Frau Michal, eine Tochter Sauls. David zog sich in den Süden zurück und trieb mit einer Schar Abenteurer sein Unwesen. Dabei verstand er es, mit den Südstämmen gute Beziehungen zu unterhalten. Von diesem Hintergrund her sind seine zwei Ehen mit Ahinoam und Abigail zu verstehen. Nach einiger Zeit bot David sogar dem Philisterfürsten Achis von Gat seine Dienste an. Der Fürst nahm an und belehnte David mit dem Ort Ziklag. Von Ziklag aus führte David nun weiter seine Raubzüge fort. Mit den geraubten Gütern beschenkte er die Südstämme und versicherte sich so ihrer Treue. Die Philister haben aber David nie ganz vertraut. Bei der Entscheidungsschlacht gegen Saul (1 Sam 29,2 ff.) durfte David nicht auf philistäischer Seite kämpfen. Dadurch blieb ihm erspart, gegen seine eigenen Landsleute ins Feld ziehen zu müssen. Nach der Niederlage Sauls ging David zielstrebig an die Verwirklichung seiner Pläne heran. Er zog nach Hebron, wo ihn die »Männer Judas« zum König über Juda bestellten. Die Philister schritten dagegen nicht ein. Die Niederlage Sauls hatte nur einer seiner Söhne, Eschbaal, überlebt. Abner, der Heerführer Sauls, zog sich mit Eschbaal nach Mahanaim weit ins Ostjordanland zurück. Abner machte dann Eschbaal zum neuen König, und die Nordstämme erkannten ihn an. Hier wird bereits der Gegensatz zwischen Nord- und Südstämmen deutlich. Bald kam es auch zu Grenzkämpfen, wobei Abner einen Bruder des Joab, ein Freund Davids, erschlug. Zwischen dem Schattenkönig Eschbaal und Abner kam es jedoch bald zum Streit. Abner verhandelte dann hinter dem Rücken Eschbaals mit David. David stimmte Verhandlungen in Hebron unter der Bedingung zu, daß ihm Abner seine erste Frau Michal mitbringe. Abner ist mit David in Hebron einig geworden, wurde jedoch von Joab unter dem Vorwand der Blutrache noch in Hebron ermordet. Es war naheliegend, daran zu denken, daß David dahinter steckte, um so einen gefährlichen Rivalen loszuwerden. David hat jedoch diesen Verdacht zurückgewiesen und man glaubte ihm! Kurz darauf wurde auch Eschbaal ermordet, was David ebenfalls sehr willkommen sein mußte. Als jedoch die Mörder bei David mit dem Haupt Eschbaals erschienen, um sich belohnen zu lassen, war dies David zuviel, und er ließ die beiden Mörder hinrichten. Die Stämme glaubten abermals, daß David am Tod Eschbaals unschuldig sei.

Wer sollte nun im Norden neuer König werden? Der einzige Nachkomme Sauls war der Sohn seines Sohnes Jonatan. Aber dieser war gelähmt. Was lag nun näher, als dem Schwiegersohn Sauls, David, auch die Königswürde über die Nordstämme anzubieten. David war jetzt König über Juda und Israel, König zweier noch sehr unstabiler Staatsgefüge.

Der Verlauf dieser Ereignisse war nun auch den Philistern nicht mehr gleichgültig, und sie besetzten die Refaim-Ebene vor Jerusalem. Für David stand jetzt alles auf dem Spiel. Durch einen Überraschungsangriff gelang es ihm, die Philister zu schlagen. Kurz darauf erschien die philistäische Macht nochmals in der Refaim-Ebene und wurde von David in der Schlacht »gegenüber den Baka-Sträuchern« (2 Sam 5,22) vernichtend geschlagen. David verfolgte die Philister bis Gezer. Damit war der entscheidende Erfolg gelungen und der Grundstein für das kommende Reich geschaffen. Zuerst mußte David daran denken, eine geeignete Hauptstadt zu bestimmen. Hebron war nicht ideal; denn hätte er von hier aus regiert, wäre der Norden verstimmt gewesen, hätte er Sichem, die natürliche Metropole Mittelpalästinas gewählt, die allerdings noch immer durch die Zerstörung Abimeleks am Ende des 12. Jhs. v. Chr. in Trümmern lag, wäre der Süden vergrämt gewesen. Eine israelitische Stadt dazwischen gab es noch nicht, aber David schaffte sich eine! Die Wahl fiel auf die Jebusiterstadt Jerusalem. Durch einen Handstreich mit seiner Söldnertruppe eroberte er 1004 v. Chr. Jerusalem, beließ die kanaanäische Bevölkerung, wurde aber selber Nachfolger der jebusitischen Stadtkönige. Von hier aus regierte nun David mit seinem Gefolge, gestützt auf eine Söldnertruppe, das Reich. Durch die Überführung der Lade von Kirjat-Jearim erhob er Jerusalem zum neuen Kultzentrum. David integrierte auch weiterhin kanaanäische Stadtstaaten in seinen Machtbereich. Dadurch wurde die nationale Geschlossenheit der Stämme aufgegeben.

Als David so seine Position im Inneren gefestigt hatte, konnte er daran gehen, sein Reich weiter auszudehnen. Moabiter und Ammoniter wurden seine Vasallen. Ebenso erging es den Aramäerstaaten, die David zu einer Provinz mit der Hauptstadt Damaskus zusammenfaßte. Durch den Sieg über Edom verschaffte sich David Zugang zum Golf von Aqaba und zu den Kupfervorkommen der Araba. An die phönikischen Küstenstädte wagte sich David allerdings nicht heran. Er unterhielt zu ihnen jedoch freundschaftliche Beziehungen. So entstand unter David der erste Großstaat auf dem syro-palästinischen Boden (Abb. 38). Ägypten, Babylon und Assur waren zu schwach, um eingreifen zu können. Diese Umstände kamen David natürlich sehr zugute. Dieses Reich konnte aber nur dann Bestand haben, wenn der Nachfolger Davids eine ähnliche Genialität besaß. Die Frage seiner Nachfolge hat aber David sträflich vernachlässigt. So ist das Ende seiner Regierung von Wirren erfüllt, die seine Söhne in Szene setzten. Zwar hat es David wohl verstanden, ideologisch seine Herrschaft über seinen Tod hinaus durch den Propheten Natan (2 Sam 7,8 ff.) als weiterbestehend erklären zu lassen, aber die praktische Frage, welcher seiner Söhne sein Nachfolger werden sollte, blieb ungeklärt. Da seine Ehe mit der Saultochter Michal kinderlos blieb, mußte David den Gedanken aufgeben, daß doch noch ein Enkel

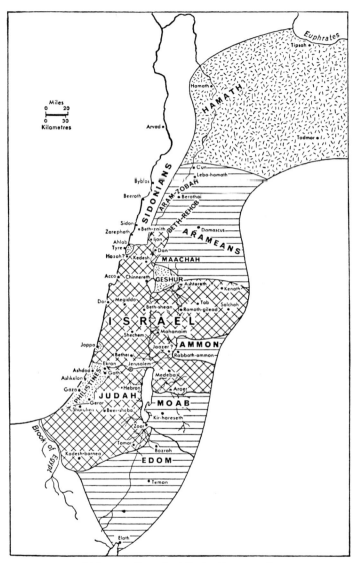

Abb. 38   Das davidische Königreich
(Y. Aharoni, The Land of the Bible, Karte 21)
XXX   *Kernland Israel*
=====   *Unter israelitischer Herrschaft*
∴∴∴   *Israelitisches Einflußgebiet*

Sauls auf den Thron kam. Der erstgeborene Sohn Davids war Amnon. Da er jedoch seine Halbschwester Tamar vergewaltigte, wurde er von Absalom ermordet. Absalom wollte dann bereits zu Lebzeiten Davids den Thron erringen. Er wurde sogar in Hebron zum König ausgerufen (2 Sam 15,10). David floh mit seiner Söldnertruppe nach Mahanaim, ging zum Angriff über und schlug seinen Sohn, obwohl dieser der Söldnertruppe zahlenmäßig überlegen war. Absalom wurde dabei getötet. Nach dieser Niederlage kamen die Stämme wieder kleinlaut zu David. Die Südstämme waren die ersten, die David holten. Die Nordstämme dagegen machten David Vorwürfe, ja es entstand im Norden sogar ein Aufstand, den David mit seiner Söldnertruppe niederwerfen mußte.

Der nächste Davidssohn war Adonja. Dieser fand Anhang in den Kreisen Davids. Doch es bildete sich eine Gegenpartei, der es auch gelang, den entscheidenden Einfluß auf den alten König auszuüben. Der Söldnerführer Benaja, der Priester Zadok und der Hofprophet Natan bedienten sich dabei der schönen Batscheba, die David einst geheiratet hatte, nachdem er ihren Mann Urija indirekt hatte töten lassen. Man berichtete dem König, daß sich Adonja selber zum König ausgerufen habe, worauf David nun den gewünschten Schritt tat und Salomo, den Sohn der Batscheba, zu seinem Nachfolger bestimmte (1 Kön 1,28−40). Salomo war Mitregent, bis David ca. 965 v. Chr. starb.

Salomo übernahm nach dem Tod seines Vaters sofort die Regierung. Zuerst ließ er Adonja und seine Anhänger beseitigen. Benaja, der Salomo dabei gute Dienste leistete, wurde Oberbefehlshaber des Heeres. Salomo hatte aber kein leichtes Erbe angetreten. Der König hatte nicht das Format seines Vaters, und so kam die Großmachtpolitik zum Stillstand, was einen Rückschritt bedeutete. Die Provinz Edom machte sich selbständig. Der Prinz Hadad wurde edomitischer König. In Damaskus machte sich Reson zum König. Salomo dürfte weder gegen Edom noch gegen Damaskus etwas unternommen haben. Eine Revolte, die im Norden unter der Führung Jerobeams ausbrach, konnte Salomo niederschlagen. Jerobeam floh nach Ägypten. Im Reich entfaltete Salomo eine große Bautätigkeit, vor allem in Jerusalem. Jerusalem wurde um einen neuen Stadtteil mit Tempel und Palast erweitert (Abb. 39 und 40). Der Tempel wurde nach kanaanäischen Vorbildern von phönikischen Handwerkern geschaffen. Der Tempel galt als Stätte der irdischen Anwesenheit JHWH's. Die Lade war der Thron der Gottheit. Auch in anderen Städten wie Megiddo, Sichem, Gezer, Lachisch, Hazor u. a. gab es eine große Bautätigkeit. Salomo befaßte sich auch mit einer neuen Provinzeinteilung, die nur teilweise die alten Stammesgrenzen berücksichtigte.

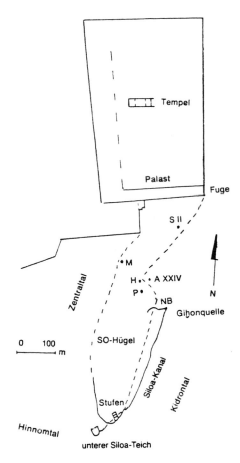

Abb. 39 Jerusalem zur Zeit Salomos (E. Otto, Jerusalem, S. 50, Abb. 4)

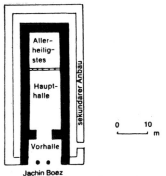

Abb. 40 Grundriß des Salomonischen Tempels (E. Otto, Jerusalem, S. 52, Abb. 5,2)

Gemäß der Zahl der Stämme – zwölf, die symbolische Zwölfzahl, die man mit der Teilung des Hauses Josef in Efraim und Manasse erreichte, geht vermutlich auch auf die salomonische Zeit zurück – wurde das Reich in 12 Verwaltungsbezirke bzw. Provinzen (Abb. 41) unterteilt.

Die aufwendige Bautätigkeit, der großzügige und prunkvolle Regierungsstil verschlangen Unsummen Geldes. Andererseits benötigte Salomo auch Menschen als Arbeiter. Dazu baute er den Frondienst stark aus. Diese Maßnahmen und die drückenden Steuern, die die Fronvögte in den Provinzen einhoben, machten Salomo immer unbeliebter.

Salomo war allerdings auch bedacht, sich andere Finanzquellen zu erschließen. Seine Flotte, die von phönikischen Handwerkern – bedingt durch seine freundschaftlichen Beziehungen zu König Hiram von Tyrus – gebaut und von phönikischen Matrosen bedient wurde, brachte Ofirgold und andere Kostbarkeiten aus Arabien und Afrika. Salomo baute als Heimathafen für seine Flotte Ezion Geber. Hier wurde auch Eisen und Kupfer verhüttet. Schiffahrt und Metallindustrie waren königliches Monopol.

Ferner trieb Salomo auch einen gutgehenden Streitwagen- und Pferdehandel mit den syrischen Kleinstaaten. Salomo war gewiß eine ansehnliche und berühmte Persönlichkeit in der altorientalischen Welt. Seinem Ansehen diente auch ein großer Harem. Unter seinen Frauen war auch eine ägyptische Prinzessin (1 Kön 3,1. 9,16) oder besser eine vornehme Ägypterin, denn die Pharaonentöchter wurden grundsätzlich nicht mit ausländischen Herrschern verheiratet. Aber die ägyptische »Prinzessin« brachte Salomo die Stadt Gezer als Hochzeitsgeschenk ein.

Die große Machtentfaltung konnte nicht verschleiern, daß es mit dem Reich bergab ging. Das geistig-kulturelle Leben erreichte aber unter dem musisch begabten König, der eher ein »Kaufmann« auf dem Thron als Realpolitiker war, seinen Höhepunkt. Man spricht mit Recht von der »Salomonischen Aufklärung« oder vom »Salomonischen Humanismus«

Abb. 41   Die Salomonischen Provinzen
(Y. Aharoni, The Land of the Bible, Karte 23)

▷

/////   *Gebiet, das an Tyrus gegeben wurde*

〰   *Landesgrenze*

〜   *Provinzgrenze*

Tyre

Ijon

Abel-beth-maachah • Dan

Kanah   Beth-anath

Hammon

Kedesh

Yiron

Achzib   Abdon

Beth-shemesh? Hazor

Beth-emek

Ramah   8

Acco   Rehob

Chinnereth

Mishal?

ARGOB

Aphek   Kabul

Adamah? Rakkath   Aphek

GESHUR

Ashtaroth

A   Hali Hannathon

Hammath

Beten

Adami-nekeb

Achshaph   Bethlehem

Jabneel

Shimron

En-haddah • Beth-shemesh

HAVVOTH

Jokneam   9

Chesulloth Kishion Anaharath JAIR

Dor

Hapharaim

Lo-debar

Megiddo   4

Shunem Remeth

10   Jezreel

Taanach   5   Beth-shean

Rogelim?

Ramoth-gilead

Ibleam

Jabesh-gilead

6   D

Dothan

Hepher

Socoh

Abel-meholah

Zaphon

Tirzah

Shechem   1

Succoth Mahanaim

Aphek

Tappuah

Jokmeam? Zarethan

Ramath-mizpeh?

Joppa   Gath-rimmon?

Lebonah

Adam

Bene-berak Jehud

Zeredah

G

Jogbehah

AMMON

Ophrah

Betonim

Lod

Beth-horon   Bethel

Jaazer? Rabbath-ammon

Eltekeh   2   Lower Upper Mizpah

Beth-nimrah

Shaalbim Ramah Michmash

Mephaath

Gibbethon

Gibeon Geba

Gezer Aijalon

B E N J A M I N

Beth-haram

Baalath

Beth-arabah

Timnah   11   Gibeah

Heshbon

Ekron

Jerusalem

Beth-jeshimoth

Ashdod   Beth-shemesh

Kiriathaim   Medeba

Gath

Bethlehem

Beth-baal-meon

G   A   D

JUDAH

Zereth-shahar?

12   Jahazah

Gaza

Ataroth

Kedemoth?

Kerioth

Dibon

Hebron

Aroer

MOAB

PHILISTINES

MT. EPHRAIM

ZEBULUN

NAPHTALI

ISSACHAR

GILEAD

0   Miles   20

0   Kilometres   30

III

(G. von Rad). Als bleibendes Vermächtnis dieser Zeit kann die Jahwistische Quellschrift genannt werden, die uns zum Großteil im Pentateuch erhalten ist, wie auch weisheitliche und poetische Literatur, die teils Eingang in die Bibel gefunden hat. 926 v. Chr. starb Salomo, und den Thron nahm sein Sohn Rechabeam ein.

Der Thronwechsel in Jerusalem ging ohne Schwierigkeiten vor sich, da das dynastische Prinzip unangefochten war. Anders verhielt es sich bei den mittel- und nordpalästinischen Stämmen. Sie waren nicht ohne weiteres bereit, den Sohn Salomos automatisch als neuen König anzunehmen. Durch zwei Überlieferungen, die in 1 Kön 12 verarbeitet wurden, erfahren wir etwas über den Verlauf der weiteren Ereignisse. Rechabeam muß sich nach Sichem begeben, um sein Königtum dort von den Vertretern der Nordstämme bestätigen zu lassen. Es werden dem König Bedingungen gestellt. Rechabeam zögerte die Verhandlungen hinaus, um sich mit seinen Beratern besprechen zu können. Er befragt die »Ältesten«, die ihm den Rat geben, auf die Forderungen des Volkes nach Erleichterungen einzugehen. Hernach befragt Rechabeam die »Jungen«, die ihm das Gegenteil raten. Der König folgt dem Rat der Jungen und gibt dem Volk eine negative Antwort. Darauf bricht in Sichem die Revolte los. Der Fronvogt Adoram wird gesteinigt und Rechabeam kann sich gerade noch nach Jerusalem retten. Die ganze Aussage von 1 Kön 12 läuft darauf hinaus: die unkluge Politik der Davididen hat es sich selber zuzuschreiben, wenn es zum Bruch mit dem Norden gekommen ist. Der König hörte nur auf die »Kinder«, auf jene Generation, die mit ihm groß geworden ist und die politische Lage falsch einschätzte.

Jerobeam, der nach dem Tod Salomos bereits aus Ägypten zurückgekehrt war, wurde zum König über die Nordstämme in Sichem ausgerufen. Die politische Trennung wurde damit endgültig. Ab 926 v. Chr. gibt es daher zwei israelitische Staaten in Palästina: Juda, das Südreich, und Israel, das Nordreich.

3. DIE BEIDEN SCHWESTERSTAATEN JUDA UND ISRAEL BIS ZU IHREM ENDE

3.1 Das Nordreich Israel von 926 bis 722 v. Chr.

Der erste König des Nordreiches, Jerobeam I., ging in den nächsten Jahren zielstrebig daran, ein lebensfähiges Staatswesen aufzubauen. Sichem wurde die erste Hauptstadt des Nordreiches (1 Kön 12,25). Diese traditionsreiche Stadt eignete sich dazu auch besonders gut: An ihr haftete die Erinnerung an die Väter Jakob/Israel und Josef, in ihr verpflichtete einst Josua den Jakob/Israel-Clan eidlich auf die Verehrung JHWH's, und in ihr war schon ein Halbisraelit König geworden. Als Stätte des offiziellen Staatskultes bestimmte Jerobeam jedoch nicht Sichem, sondern Betel und Dan. Weil nun Jerusalem als Staatsheiligtum für das Nordreich nicht in Frage kam, mußte Jerobeam nach Ersatz suchen (1 Kön 12,26 ff.). In den beiden Reichstempeln von Betel und Dan wurden Stierbilder aufgestellt, die JHWH vergegenwärtigen sollten. Die spätere, deuteronomistische Theologie hat diese kultpolitischen Maßnahmen als Abfall vom JHWH-Glauben angeprangert. Doch historisch gesehen ist dieser Vorwurf ungerechtfertigt. Jerobeam führte nicht etwa einen kanaanäischen Kult ein, sondern blieb dem JHWH-Glauben treu. Daß diese Maßnahmen Jerobeams gelungen waren und daß die Vorstellung, das Stierbild als Repräsentation und Realsymbol JHWH's zu verehren, dem religiösen Wesen des Israeliten im ausgehenden 10. Jh. v. Chr. nicht fremd war, zeigt auch, daß die religiösen Führer des Nordreiches wie die Propheten Elia und Elischa, die aufs schärfste die kanaanäische Religion verdammten, nie ihre Stimme gegen den Stierbildkult von Betel und Dan erhoben haben. Erst als sich im Nordreich im 8. Jh. v. Chr. der Unterschied zwischen Baal und JHWH immer mehr zu nivellieren begann, kam der Staatskult des Nordreiches ins Kreuzfeuer der prophetischen Kritik (Hos 8,5 f.). Um dem Staatskult des Nordreiches entsprechendes Gewicht zu geben, wurde von der Ortspriesterschaft Betels die Geschichte erfunden, daß der Kult bereits auf Aaron zurückgeht (Ex 32,1–6). Ursprünglich war also der Kern von Ex 32 durchaus positiv. Erst die verschiedenen ausgiebigen, späteren Ergänzungen haben den Spieß umgedreht und diese Art des JHWH-Glaubens als eine Abirrung vom Weg des Mose verdammt. Ex 32, die Geschichte des »Goldenen Kalbes« hat daher mit der Wüstenzeit nichts zu tun.

In kurzer Zeit war es so Jerobeam I. gelungen, dem neuen Staat eine kultische Grundlage zu geben. Das Verhältnis zu Juda war sehr gespannt. 1 Kön 14,30 »Es war aber dauernd Krieg zwischen Rechabeam und Jerobeam« charakterisiert die Situation wohl richtig. Dies zeigt auch 2 Chr 11,5–12, wonach Rechabeam einige Städte ausbauen ließ und sie mit Vorräten und Waffen reichlich versorgte.

Schon wenige Jahre nach dem Selbständigwerden Israels nutzten die Ägypter die Schwäche und Zerrissenheit der beiden Schwesterstaaten Juda und Israel und fielen in Palästina ein. Nach einer längeren außenpolitischen Schwäche Ägyptens fühlte sich Pharao Schoschenk I.

(946–921 v. Chr.) stark genug, seine Macht in Palästina zu demonstrieren. Die ruhmreichen Taten dieses Feldzuges ließ der Pharao in die südliche Außenwand des großen Hypostyls der von ihm errichteten Bubastidenhalle in Karnak in Oberägypten meißeln (AOB 114, ANET 263 f.). Der Feldzug ist in der Bibel in 1 Kön 14,25–28 (vgl. 2 Chr 12,1–12) erwähnt, berichtet jedoch nur von einer Plünderung Jerusalems, was vermutlich so zu verstehen ist, daß Rechabeam schweren Tribut zahlte und dadurch Juda und Jerusalem vor dem Ärgsten bewahren konnte. Nach der ägyptischen Liste zu schließen, konzentrierte sich der Feldzug auf die Südwüste und das Nordreich. Jerobeam I. war gezwungen, seine Residenz von Sichem nach Penuel ins Ostjordanland zu verlegen. Schoschenk betrat bei Zemarajim das Territorium des Nordreiches, einer Stadt, die in der Nähe des heutigen Ramalla zu suchen ist. Er folgte der Südnordverbindung und erreichte Gofna, Sichem und Tirza. Die Ägypter zogen weiter durch das Wadi Fara, überquerten den Jordan und kamen nach Adam und Penuel, Mahanaim und Zafon. Der Feldzug führte weiter nach Rechob, Bet-Schean, Schunem, Taanach und Megiddo; von dort weiter in die Scharon-Ebene. Die via maris ging es dann wieder südwärts. Der Feldzug hatte praktisch alle wichtigen Städte des Nordreiches getroffen. Der neue Staat war dadurch doch erheblich geschwächt, obwohl die Ägypter daraus keinen Nutzen ziehen konnten. Ihre Herrschaft über Palästina gehörte bereits der Geschichte an. Der Feldzug Schoschenks dürfte auf das Jahr 922/21 v. Chr. fallen.

Nach dem ägyptischen Feldzug verlegte Jerobeam I. seine Residenz wieder in das Westjordanland, und zwar nach Tirza (1 Kön 14,17). Jerobeam erlebte noch den Tod seines großen Widersachers Rechabeam von Juda. Dessen Nachfolger wurde Abija. 1 Kön 15,7 bringt nur die kurze Notiz, daß weiter Krieg zwischen den beiden Staaten herrschte. Nach 2 Chr 13,3–20 gelang es Abija, die jüdäische Grenze gegen Norden zu verschieben und die Städte Betel, Jeschana und Efron zu gewinnen. Jerobeam I. starb nach dreiundzwanzigjähriger Regierung im Jahre 907 v. Chr. (1 Kön 14,19 f.).

Für eine kurze Zeit wurde Nadab, sein Sohn, König. Aber bei der Belagerung des philistäischen Gibbeton wurde er von Bascha ermordet (1 Kön 15,25–28). Danach machte sich Bascha zum König und rottete die ganze Familie Jerobeams aus. Bascha konnte die Südgrenze seines Reiches gefährlich nah an Jerusalem heranschieben und begann Rama, 9 km nördlich von Jerusalem, als Grenzfestung auszubauen. König Asa von Juda wandte sich an den Aramäerkönig Ben Hadad I. mit Bestechungsgeschenken. Die Aramäer fielen daraufhin bis zum See Genezaret

ein, so daß Bascha gezwungen war, seine Arbeiten an der Südgrenze ein-
zustellen (1 Kön 15,16–22). Asa handelte sofort, zog nach Rama,
schaffte die ganzen Bauvorräte weg und baute damit Geba und Mizpa
als judäische Grenzfestungen gegen das Nordreich aus.

Bascha starb 883 v. Chr. eines natürlichen Todes und sein Sohn Ela
wurde König. Ela wurde jedoch schon 882 v. Chr. von einem hohen
Offizier mit Namen Simri bei einem Festgelage in Tirza ermordet
(1 Kön 16,9 f.). Seine Herrschaft dauerte jedoch nur sieben Tage! Das
israelitische Heer, das zu diesem Zeitpunkt unter seinem Oberbefehlshaber Omri das philistäische Gibbeton belagerte, reagierte schnell. Durch
Akklamation wurde Omri zum neuen König bestellt. Omri nahm
Marsch auf Tirza. Simri, der seine Sache für verloren erkannte, zog sich
in den Königspalast zurück und steckte ihn in Brand (1 Kön 16,15–20).
Omri wurde jedoch nicht allgemein als König erkannt. Sein Rivale war
Tibni, wahrscheinlich ein Kanaanäer, der die kanaanäische Bevölkerung
des Nordreiches auf seiner Seite hatte (1 Kön 16,21 f.). Erst als Tibni
878 v. Chr. starb, wurde Omri allgemein akzeptiert. Omri hatte daraus
vor allem gelernt, daß mit der kanaanäischen Bevölkerung des Reiches
als einer politischen Größe zu rechnen ist.

Omri begann mit dem Wiederaufbau der Hauptstadt Tirza, brach dann
die Bauarbeiten plötzlich ab und wählte als neue Hauptstadt Samaria,
ca. im Jahre 875 v. Chr. (1 Kön 16,24). Die Wahl der neuen Hauptstadt
hängt mit der Kanaanäerpolitik Omris zusammen. Der Hügel von
Samaria war zu dieser Zeit unbewohnt und kanaanäisches Land, das der
König kaufte. Hier baute sich Omri eine Residenz, die den Ansprüchen
der Kanaanäer genügen konnte. Er selber war gleichsam kanaanäischer
Stadtkönig von Samaria. Als König des Reiches Israel hatte er eine
zweite Residenz in Jesreel.

Samaria wurde daher das Zentrum des Kanaanäertums in Israel, wo die
kanaanäische Aristokratie als hohe Beamte beschäftigt wurden. Mit den
phönikischen Küstenstädten unterhielt Omri eine freundschaftliche
Beziehung. Im Zusammenhang mit der Kanaanäerpolitik Omris ist auch
die Heirat seines Sohnes Achab mit der sidonischen Prinzessin Isebel
(Abb. 42) zu sehen. Nach 1 Kön 16,32 hatte Achab seiner Frau, die den
Baal Melkart von Tyrus verehrte, einen Tempel innerhalb des samarischen Palastbezirkes erbaut. Dadurch wurde Samaria demonstrativ aus
dem JHWH-Bereich ausgeschlossen und der Stadt ein kultisches Eigenleben verliehen. Die Israeliten des Reiches waren dadurch nicht direkt
betroffen, da JHWH auf ihrem Territorium uneingeschränkt verehrt
werden konnte. Wie sehr JHWH seinen Anspruch auf israelitischem

Territorium durchsetzen konnte, beweist 1 Kön 18,17–40 »das Gottes-urteil auf dem Karmel«. Das Gebiet des Karmel gehörte schon unter David zu Israel, ging dann an Tyrus und kam vermutlich durch die Hei-rat der Isebel wieder an Israel. So fordert der Prophet Elia von Achab eine Staatsaktion am dortigen Heiligtum, an der ganz Israel teilnehmen und entscheiden soll, wer Gott in Israel sei: der Baal vom Karmel oder JHWH. Der König ließ ohne Widerstand diese Aktion zu. Er konnte in diesem Fall nicht als Stadtkönig von Samaria, sondern als König des Rei-ches Israel handeln und mußte daher der Forderung des Reichsgottes JHWH, die Elia vorträgt, nachgeben. Er schreitet nicht einmal gegen die Abschlachtung der Baalspropheten ein.

Abb. 42   Ovoides Siegel aus Opal, 9.–8.Jh. v.Chr. Das Siegel trägt die Aufschrift »Isebel«. Isebel, eine phö-nikische Prinzessin, war die Frau König Achabs (871–852 v.Chr.) von Israel. Ob dieses Siegel der Köni-gin gehört hat, läßt sich jedoch nicht entscheiden. (K. Jaroš, Hundert Inschriften, Nr. 14)

Unverkennbar bevorzugte Achab jedoch die Kanaanäer in seinem Reich. Nicht in der israelitischen Hauptstadt Jesreel hält er Hof, sondern in Samaria. Somit hatten auch die höchsten Ämter des Reiches in Samaria ihren Sitz und werden zum Großteil von Kanaanäern ausgeübt worden sein, obwohl wir aus 1 Kön 18,3 erfahren, daß ein gewisser Obadja, wohl ein Israelit, Hofmarschall war, der JHWH-Propheten versteckte und versorgte. Die führendste Gestalt dieser Zeit bis 745 v. Chr. ist zweifellos Isebel, in der sich das Kanaanäertum förmlich verkörperte. Selbst nach dem Tod ihres Mannes Achab 852 v. Chr. ist sie die füh-rende Regentin unter ihren beiden Söhnen Ahasja und Joram. Sie war nicht nur eine leidenschaftliche Verehrerin des Baal, sondern ließ im Lande durch ihre Priester und Propheten für Baal werben (1 Kön 18,19). Die Verkörperung des JHWH-Glaubens ist der Prophet Elia, der große Gegenspieler Isebels (1 Kön 19,2). Isebel konnte selbst einen Elia so in Schrecken versetzen, daß er floh (1 Kön 19,3). Die Porphetenlegenden um Elia spiegeln die Bevorzugung Baals im Reich wieder und heben die Ausrottung des JHWH-Glaubens hervor (1 Kön 18,4.10.13. 19,2.10.14. 17,2 ff., 2 Kön 1,9 ff.). Dem Volk wird ein »Hinken auf beiden Seiten« (1 Kön 18,21) vorgeworfen, und die Zahl derer, die ihr Knie nicht vor Baal gebeugt haben, beträgt nur 7000

(1 Kön 19,18). Die Prophetenlegenden sind überspitzt, aber sie geben den Sachverhalt der kanaanäischen Dominante durchaus richtig an.

In außenpolitischer Hinsicht hatten die Omriden vor allem mit den Aramäern zu tun. Aus den dürftigen Angaben der Bibel (1 Kön 20 und 22) läßt sich soviel entnehmen, daß es wechselvolle Kämpfe gewesen sein mußten, aus denen einmal die Aramäer einmal die Israeliten siegreich hervorgingen. Die Kämpfe spielten sich hauptsächlich im Ostjordanland ab, obgleich die Aramäer bis Samaria (1 Kön 20,1) und weiter nach Süden vordrangen. Wohl auch im Hinblick auf die Aramäergefahr hat Achab die Städte Hazor und Megiddo besser befestigt. Der Versuch, das von den Aramäern besetzte Ramot Gilead zurückzugewinnen, ging für Israel mißlich aus (1 Kön 22,2—38). Achab fiel in dieser Schlacht 852 v. Chr. Im Großen und Ganzen unterlagen daher die Omriden der Politik der aramäischen Könige Ben Hadad I. und II. Wie sehr Israel durch die Aramäerkriege behindert war, zeigt auch, daß Mescha, der König von Moab, nach dem Tod Achabs seine Tributzahlungen einstellte (2 Kön 3,4 f.). Den Moabitern war es schon lange ein Dorn im Auge, daß es Omri gelungen war, einen Teil ihres Gebietes bis zum Arnon zu besetzen. Es gelang Mescha, die moabitische Grenze bis an den Nordrand des Toten Meeres zu verschieben, ohne daß die Nachfolger Achabs etwas dagegen unternehmen konnten. Trotz einer judäischen und israelitischen Strafexpedition um 850 v. Chr. verblieb das Gebiet bis zur Nordhöhe des Salzmeeres im Besitz Moabs (2 Kön 3,4—27).

Die eigentlich kommende Gefahr war für das Reich Israel das aufstrebende neuassyrische Reich, obwohl sich zur Zeit der Omriden die Assyrer erst anschickten, Damaskus zu vernichten. Schon Assurnasirpal II. (883—859 v. Chr.) stieß bis Phönikien vor und empfing von Tyrus, Sidon, Byblos, Arwad und Amurru Tribut. Sein Nachfolger Salmanassar III. (858—824 v. Chr.) nahm sich dann besonders Syrien vor. In vier gewaltigen Feldzügen sprengte er den aramäischen Riegel und sicherte sich die Euphratübergänge. 852 v. Chr. marschierte Salmanassar mit einer Armee von 120000 Mann gegen Damaskus. Diese Gefahr ließ alle Streitigkeiten zwischen Damaskus und Israel vergessen und es kam zu einer antiassyrischen Koalition, an der sich auch Achab beteiligte (AOT 340 f.) und zwar mit 10000 Soldaten und 2000 Streitwagen. Bei Karkar kam es zur Schlacht, die etwa unentschieden ausgegangen sein mußte. Wahrscheinlich gehörte nach dem Tod Achabs sein Sohn Joram dem antiassyrischen Bündnis an. Erst als der aramäische König Ben-Hadad II. durch Hasael (2 Kön 8,7—15) ermordet wurde, wird das Bündnis zerfallen sein.

Den Omriden ist es in innenpolitischer Hinsicht gelungen, einen lebensfähigen Staat aufzubauen. Sie konnten das kanaanäische Bevölkerungselement befriedigen, schufen Beziehungen zu den phönikischen Küstenstädten und versöhnten sich mit Juda. Die jahwistische Opposition
wurde jedoch angesichts der kanaanäerfreundlichen Politik immer größer und wartete auf den Gegenstoß. Außenpolitisch war das Reich gefestigt, auch wenn es den Aramäern gegenüber manche Niederlage ein-
stecken mußte, und die Moabiter ihre Grenzen weiter nach Norden
schieben konnten. Wenige Jahre hatten den liberalen Herrschern Omri
und Achab sowie der großen Königin Isebel genügt, einen Feudalstaat
nach kanaanäischem Muster aufzubauen, der selbst ein entscheidendes
Wort in der Weltpolitik mitreden konnte. Mit der Dynastie Omris endet
845 v. Chr. auch die hohe phönikische Kultur Samarias.
Die Betonung des Kanaanäischen und die Unterbewertung des Israelitischen durch die Omriden mußte neben dem prophetischen Widerstand
auch den politischen herausfordern. 2 Kön 9,1−10,28 berichtet, daß ein
von Elischa abgesandter Prophet ins israelitische Feldlager bei Ramot
Gilead im Ostjordanland kommt und den Oberbefehlshaber des Heeres
Jehu im Geheimen zum König salbt. Darauf folgt die Akklamation des
»Volkes«, d. h. Jehu ist nach israelitischem Recht legaler König.
Der verwundete israelitische König Joram hielt sich zu diesem Zeitpunkt
in seiner zweiten Residenz Jesreel auf. Jehu fuhr mit seinem Streitwagen
sofort nach Jesreel und erschoß den ihm entgegenkommenden König
Joram mit seinem Pfeil. Die Königsmutter Isebel, die daraufhin in Jesreel
das »Erscheinungsfenster« einnimmt und so ihren Anspruch auf die
Thronfolge bekundet, wird von Eunuchen aus dem Fenster geworfen
und dann von Jehus Pferden zertrampelt. Damit hat Jehu die ersten
Widerstände schnell und blutig beseitigt, was das Reich Israel betrifft.

Ein anderes Problem war der kanaanäische Stadtstaat Samaria. Jehu
mußte ihn vorerst als selbständige politische Größe anerkennen und
begann mit ihm zu verhandeln. Die Samarier waren bereit, ihre Eigen-
ständigkeit aufzugeben und mit der omridischen Familie zu brechen. Sie
gingen auf die Forderung Jehus ein, ihm siebzig Köpfe der omridischen
Familie zu senden. Dann begab sich Jehu nach Samaria und kündigte im
Baalstempel ein Fest an, zu dem alle Verehrer des Gottes Baal geladen
wurden. Auf dem Weg nach Samaria begegneten Jehu bei Dschenin 42
judäische Prinzen, die auf Staatsbesuch in Israel weilten. Er ließ sie auf
der Stelle hinmorden (2 Kön 10,12 ff.). Durch diesen Akt wie auch
durch die Ermordung des judäischen Königs Ahasja bei Jibleam

(2 Kön 9,27−29) wurden die freundschaftlichen Beziehungen, die die Omriden mit Juda pflegten, zerstört.

Als die Kanaanäer im Baalstempel versammelt waren, ließ Jehu sie abschlachten. Dann wurden die Kultobjekte des Tempels vernichtet und der Tempel in Latrinen umgewandelt. So hatte Jehu in kürzester Zeit nicht nur alle Omriden ausgerottet, sondern auch Samaria und das Land seiner kanaanäischen Führungsschicht beraubt. Jehu nahm Samaria als seine Hauptstadt.

Von außenpolitischen Aktivitäten Jehus wissen wir wenig. Die Aramäer von Damaskus wurden durch die Assyrer schwer bedrängt. Ein assyrischer Angriff auf das Territorium des Staates Israel blieb jedoch noch aus. Jehu hatte durch Tributzahlungen an die Assyrer bestehen können (AOB 121−125, AOT 343).

Da der assyrische König Salmanassar III. durch innenpolitische Schwierigkeiten gebunden war, erhielt Damaskus Spielraum, um Israel wieder angreifen zu können (2 Kön 10,32 f. 12,18 f. 13,3−7). Ein Feldzug des Aramäerkönigs Hasael fiel aber vermutlich in die Zeit des Jehu-Nachfolgers Joahas. Joahas folgte sein Sohn Joasch als König. Nach 2 Kön 14,8−15 hat er bei Bet Schemesch den judaischen König Amasja im Kampf geschlagen und danach Jerusalem geplündert. Im Jahre 802 v. Chr. zwangen dann die Assyrer Damaskus zur Unterwerfung und zu Tribut. Auch König Joasch von Samaria mußte Tribut leisten. Damaskus war zumindest für einige Jahre so geschwächt, daß die kommende Zeit für Israel ruhig und friedlich gewesen sein mag (2 Kön 13,4−21). Joasch starb 787 v. Chr. und es folgte ihm sein Sohn Jerobeam II. (2 Kön 14,23−29, Abb. 43).

Seine ersten Regierungsjahre dürften friedlich verlaufen sein, so daß man von einer späten Blüte Israels sprechen kann. Erst in den sechziger

Abb. 43   Ovoides Siegel aus Megiddo, 1. Hälfte des 8. Jhs. v. Chr. Aufschrift:
»dem Schema (gehörig), Minister Jerobeams«. Es könnte sich um das Siegel
eines Ministers Jerobeams II. (787−747 v. Chr.) handeln.
(K. Jaroš, Hundert Inschriften, Nr. 29)

Jahren des 8. Jhs. v. Chr. dürfte sich die friedliche Situation geändert haben, da die Assyrer anderweitig beschäftigt waren und somit die Aramäer mehr Druck gegen Israel ausüben konnten. In der langen Regierungszeit Jerobeams II. besann sich die prophetische Theologie des Nordreiches auf ihre alten Traditionen. So entstand wahrscheinlich am Königshof in Samaria eine Sammlung von Sagen und Legenden der mittelpalästinischen Stämme, in die aber bereits auch Material von Gesamtisrael aufgenommen wurde. Es war ein durchkomponiertes Werk, das bei Abraham begann und mit Mose oder Josua endete. Die Gestalten der Geschichte werden als Propheten charakterisiert und ihr Handeln als Beispiel für die gegenwärtige Generation dargestellt. Dieses Erzählwerk versucht auch, alle wertvollen Elemente der kanaanäischen Religion in die eigene Religion aufzunehmen. Fast scheint es, als wäre es nach dem gescheiterten Versuch der Omriden, die zwei konkurrierenden Bevölkerungsteile durch die Person des Königs zu einer Einheit mit kanaanäischem Akzent zu verschmelzen, und nach dem blutigen Vorgehen Jehus gegen die Kanaanäer, das Anliegen dieser Theologen gewesen zu sein, die gegensätzlichen Welten in einer geistigen und geistlichen Synthese zu vereinigen. Die Fragmente dieses Werkes sind uns in der »Elohistischen« Schicht des Pentateuch erhalten. Daneben dürfte auch die Chronik der Könige aus der Zeit Jerobeams II. stammen, von der uns fast nicht mehr als ihre öftere Nennung im deuteronomistischen Geschichtswerk erhalten ist.

Die bei den Ausgrabungen in Samaria gefundenen Ostraka aus der ersten Hälfte des 8. Jhs. v. Chr. sind wichtige Belege über die sozialen und wirtschaftlichen Verhältnisse dieser Zeit. Die Ostraka sind Begleitschreiben von Wein- und Öllieferungen aus den königlichen Gütern in die Hauptstadt. Schon in der Zeit der Omriden haben sich staatliche Güter entwickelt, die, von Beamten verwaltet, an den Königshof die entsprechenden Naturalien abzuliefern hatten. Ein Funktionieren solcher staatlicher Wirtschaftsbetriebe hängt primär von der Ehrlichkeit der Verwaltungsbeamten ab. Wenn sich die Beamten jedoch aus den königlichen Gütern skrupellos bereicherten, waren sie gezwungen, die entsprechenden Lieferungen für den Hof von den israelitischen Kleinbauern zusätzlich einzutreiben. Die Bauern gerieten dadurch immer mehr in Abhängigkeit von den Beamten. Bauern, die längere Zeit hindurch ihre Leistungen nicht erfüllen konnten, wurden enteignet und ihr Besitz zum königlichen Gut geschlagen.

Vom Hintergrund solcher sozialer Ungerechtigkeit sind besonders die Worte des Propheten Amos verständlich. Nach Amos 3,9−11 stammen die Schätze, die sich in Samaria angehäuft haben, aus Gewalttat und Raub und die festgebauten Häuser der Hauptstadt kommen aus unredlichen Mitteln (Amos 5,11 f.). Das Volk wird immer mehr zum Schuldsklaven der Reichen (Amos 2,6, 8,6). Die Gesellschaftskritik des Amos entzündete sich also ganz konkret an diesen sozialen Fehlentwicklungen seiner Zeit, die die wirtschaftliche Ausbeutung der Armen ermöglichte. Der letzte König aus dem Hause Jehu, Sacharja, wurde auf der Fahrt von Samaria nach Jesreel in Jibleam 747 v. Chr. von Schallum ermordet (2 Kön 15,8–12). Schallum wurde nach einmonatiger Regierung von Menachem ermordet (2 Kön 15,13–16).

Als im Jahre 745 v. Chr. Tiglatpilesar III. in Assur König wurde, war dies ein bedeutender Einschnitt in die Geschichte Syrien–Palästinas. Bis 738 v. Chr. beseitigte er jeden Widerstand der Aramäer von Damaskus und besetzte Teile des israelitischen Staatsgebietes. Menachem konnte eine dauernde Besetzung nur dadurch verhindern, daß er schweren Tribut zahlte, den er durch eine Steuer von der wohlhabenden Bevölkerung eintrieb (2 Kön 15,20, AOT 345 f.). 738 v. Chr. wurde der Sohn des Menachem, Pekachja, König über Israel, aber schon nach zweijähriger Regierung wurde er von seinem Oberst, Pekach, ermordet (2 Kön 15,25). Hinter dem Staatsstreich könnte der Aramäerkönig Rezin gestanden haben. 734 v. Chr. stieß Tiglatpilesar III. bis in die südliche Küstenebene Palästinas vor, die Westgebiete Israels wurden die assyrische Provinz Dor. Kurz nach diesem Feldzug scheint die antiassyrische Koalition Damaskus–Samaria und anderer Kleinstaaten wieder aktiv geworden zu sein. Wunder Punkt der Koalition war, daß sich ihr Jerusalem nicht anschloß. So belagerte das Koalitionsheer 733 v. Chr. Jerusalem, um den judäischen König Ahas zum Beitritt zu zwingen oder ihn abzusetzen (2 Kön 15,5 und 37). Ahas tat einen geschickten politischen Schachzug. Er unterwarf sich dem assyrischen König freiwillig und bat dafür um Hilfe gegen die Koalition (2 Kön 16,7–9). Schon 733 v. Chr. griff Tiglatpilesar III. Damaskus an und er verlor praktisch sein ganzes Staatsgebiet. Auch die nördlichen und östlichen Gebiete des Reiches Israel wurden bereits assyrische Provinzen. Nur Samaria mit dem Bergland Efraim blieb als Rumpfstaat erhalten.

732 v. Chr. wurde Damaskus ebenfalls vernichtet, König Rezin hingerichtet, und die Einwohner in die Verbannung geführt. In Samaria erkannte man, daß die Verbindung König Pekachs mit Damaskus nur Unheil gebracht hatte und man entledigte sich des Königs auf gewohnte Weise. Pekach wurde von Hoschea ermordet (2 Kön 15,30, AOT 347.11).

Auf dem israelitischen Staatsgebiet waren nun bereits drei assyrische Provinzen: Dor, Megiddo und Gilead. Die Handlungsfähigkeit König Hoscheas in seinem Reststaat war völlig begrenzt. Als der assyrische König Tiglatpilesar III. 727 v. Chr. starb, reizte dies die Kleinstaaten erneut zu antiassyrischen Koalitionen. Auch König Hoschea stellte vermutlich seine Tributzahlungen ein und konspirierte mit Ägypten. Doch der Nachfolger Tiglatpilesars III., Salmanassar V. (726–722 v. Chr.), zwang Hoschea sofort zum Tribut; als der Assyrer auch auf geheime Verbindungen mit Ägypten kam, ließ er Hoschea verhaften und belagerte daraufhin Samaria drei Jahre lang, bis die Stadt 722 v. Chr. fiel (2 Kön 17,3–6, AOT 359). Die Belagerung Samarias dürfte der Sohn Salmanassars V., Sargon II. (721–705 v. Chr.), geleitet haben, da er sich als Eroberer von Samaria und ganz Israel rühmt (AOT 348). Der letzte Widerstand des Reiches Israel dürfte 720 v. Chr. endgültig zusammengebrochen sein. Das Nordreich Israel hatte damit zu existieren aufgehört, die Oberschicht wurde deportiert und Kolonisten angesiedelt (2 Kön 17,27). Samaria wurde assyrische Provinz, die ein assyrischer Beamter als Statthalter leitete.

3.2 Die Revolution der Athalja

Die blutige Revolution Jehus im Nordreich zog bis Jerusalem ihre Fäden. Da nach der Ermordung des judäischen Königs Ahasja und der judäischen Prinzen durch Jehu fast auch die ganze davidische Königsfamilie von Juda ausgerottet war, riß in Jerusalem die Königsmutter Athalja, eine omridische Prinzessin, vermutlich eine Tochter Achabs (2 Kön 8,18, 2 Chr 21,6), die Macht an sich, in dem sie die restlichen Mitglieder des davidischen Königshauses ermorden ließ (2 Kön 11,1). Doch der kleine Sohn des ermordeten Königs Ahasja wurde von seiner Tante, Joseba, rechtzeitig vor dem Wüten seiner Großmutter versteckt, und zwar im Tempel, geschützt durch den Oberpriester Jojada. Athalja konnte etwa sechs Jahre regieren (845–840 v. Chr.). Der junge Prinz Joasch wuchs so im Tempel auf und wurde schließlich im Geheimen inthronisiert. Die plötzlich erscheinende Königin Athalja wurde verhaftet und dann hingerichtet.

3.3 Die judäischen Könige bis Joschija

Die Lage in Palästina nach Vernichtung des Reiches Israel ist durch verschiedene antiassyrische Erhebungen gekennzeichnet. Juda verhielt sich anfangs diplomatisch und schloß sich den Aufständen von Hamat und Gaza 720 v. Chr. und Aschdod 713−711 v. Chr. nicht an. Als jedoch Sargon II. 705 v. Chr. starb, stellte der judäische König Hiskija (Abb. 44) seine Tributzahlungen an Assur ein.

Abb. 44 Siegelabdruck (Bulle) aus der Gegend Hebrons, Ende 8./Anfang 7. Jh. v. Chr. Aufschrift: »dem Jehosarach (gehörig), Sohn des Hilkijahu, Minister des Hiskijahu«. Hier handelt es sich um ein Zeugnis eines Ministers des berühmten judäischen Königs Hiskija. (K. Jaroš, Hundert Inschriften, Nr. 38)

Die Loslösung von Assur dokumentierte er auch durch Beseitigung assyrischer Kultsymbole in Jerusalem, die dort die assyrische Oberhoheit repräsentieren sollten. Ferner entfernte er auch den Nechuschtan aus dem Tempel, ein ehernes Schlangenidol (2 Kön 18,4), das im Volksglauben mit der ehernen Schlange des Mose aus der Wüstenzeit (Num 21,4−9) in Zusammenhang gesehen wurde, in Wirklichkeit jedoch ein kanaanäisches Idol war. Auch die Philisterstädte Aschkelon und Ekron erhoben sich gegen die Assyrer. Hiskija mußte sich bewußt gewesen sein, daß seine antiassyrische Politik die Assyrer nicht ohne weiteres hinnehmen würden. Um Jerusalem für eine längere Belagerung vorzubereiten, ließ er den berühmten Tunnel schlagen, der das Wasser der Gichon-Quelle in den Teich Schiloa innerhalb der Stadtmauern bringen sollte (Abb. 45).

Der neue assyrische König Sanherib (704−681 v. Chr.) mußte zuerst in seinem Reich Aufstände niederschlagen, bevor er sich Palästina widmen konnte. Im Jahre 701 v. Chr. brach er nach Palästina auf, schlug Asch-

Abb. 45 Felsinschrift, die sich sechs Meter vor dem Ausgang des Schiloa-Kanals in Jerusalem befindet. Um 700 v. Chr. Die Inschrift lautet:
»Das war der Durchbruch: und dies war die Sache des Durchbruchs. Während die Hauer schwangen
die Picke, jeder auf seinen Genossen zu, und während noch drei Ellen
für den Durchbruch waren, da wurde gehört die Stimme eines jeden, der
rief zu seinen Genossen; denn es war ein Riß im Felsen von rechts und von …
Und am Tag des
Durchbruchs schlugen die Hauer, jeder, um sich seinen Genossen zu nähern,
Picke gegen Picke und es floß
das Wasser vom Ausgangsort bis zum Teich an die zweihundert und tausend Ellen.
Und hundert
Ellen war die Höhe des Felsens über dem Kopf der Hauer.«
Der Tunnel hat eine Länge von über 600 m und ein Gefälle von 0,5 %. Seine Höhe variiert von 1,1 bis 3,4 m. Durch diese Anlage, eine technische Meisterleistung der Eisenzeit II C, wurde das Wasser von der Gichonquelle zum Schiloateich innerhalb der damaligen Jerusalemer Stadtmauern geleitet und so die Wasserversorgung der Stadt bei Belagerungen gewährleistet.
(K. Jaroš, Hundert Inschriften, Nr. 49)

kelon und Ekron sowie ein ägyptisches Entsatzheer bei Altaku (Chirbet el-Muqanna). Dann besetzte er Juda, was jedoch nicht ohne Widerstand gelang. Größere Städte wie z. B. Lachisch wehrten sich verbissen. Die Eroberung von Lachisch leitete Sanherib persönlich und hat den Verlauf später auf Reliefs in Ninive (O. Keel/M. Küchler, Orte und Landschaften der Bibel II 896—900) festhalten lassen. Ein Massengrab mit mehr als 1500 Skeletten junger Leute zeugt von der blutigen Auseinandersetzung, die mit der Vernichtung von Lachisch endete. Daß Lachisch die assyrischen Truppen so lange festnagelte, war für die Hauptstadt Jerusalem von Vorteil. Sanherib sagte zwar: »Ihn selbst (Hiskija) schloß ich wie einen Käfigvogel in Jerusalem, seiner Residenz, ein« (TGI² 68 f.), konnte aber Jerusalem nicht einnehmen. Nach 2 Kön 29,35−37 ist die Verschonung Jerusalems auf ein Wunder zurückzuführen. Es könnte eine Seuche im assyrischen Heer ausgebrochen sein. Andererseits nennen 2 Kön 18,13−16 und assyrische Texte den großen Tribut, den Hiskija an Sanherib entrichtet hat.

Die nächsten judäischen Könige Manasse und Amon blieben Vasallen der Assyrer und hatten in ihrer Außenpolitik kaum Spielraum. 640/39 v. Chr. wurde Amon ermordet und sein achtjähriger Sohn Joschija neuer König. Das assyrische Reich lag zu dieser Zeit bereits in seinen letzten Zügen und Joschija nützte die Gelegenheit, um Juda seine Selbständigkeit wieder zu geben. Er beseitigte die Symbole des assyrischen Staatskultes im Jerusalemer Tempel ebenso wie andere religiöse Symbole und Fremdkulte. Bei Restaurationsarbeiten im Tempel wurde ein Gesetzbuch gefunden (2 Kön 22,3−23,3), das Joschija zum Mittelpunkt seiner religiösen und sozialen Reform macht. Darunter dürfte man das sogenannte »Deuteronomische Gesetz« zu verstehen haben, das den Grundbestand des Buches Deuteronomium bildet. Die Sammlung alter Rechtsordnungen wurde im 7. Jh. v. Chr. von Leviten und Priestern zusammengestellt und predigtartig erweitert. Jerusalem wurde gemäß der Forderung des deuteronomischen Gesetzes alleinige Kultstätte JHWH's. Die Landheiligtümer verloren damit ihre Bedeutung. Die heidnischen Kultstätten im Land wurden vernichtet.

Für kurze Zeit konnte Joschija sein Reich über ganz Palästina ausdehnen. Als Pharao Necho mit seinem Heer nach Haran zog, stellte ihn der stets auf seine Unabhängigkeit bedachte Joschija bei Megiddo (609 v. Chr.). Es gelang dem Pharao, Joschija gefangen zu nehmen und zu töten. Zu einer Schlacht kam es nicht, da die israelitische Armee ihre Sache für verloren ansah. Damit war das politische Lebenswerk Joschijas nach wenigen Jahren vernichtet.

3.4 Das Ende Judas

Nach Joschija wurde sein Sohn Joahas (Abb. 46) König von Juda. Er wurde von Necho nach Ägypten gebracht. Nach Joahas setzte Necho einen anderen Sohn des Joschija, Jojakim, als König ein. Nach kurzer Dauer ihrer Herrschaft wurden die Ägypter von den Medern und Babyloniern besiegt und vertrieben. Diese teilten sich die assyrischen Länder:

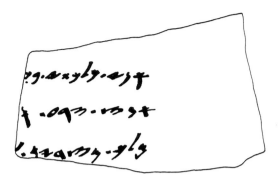

Abb. 46   Ostrakon Nr. 88, aus Arad, 7. Jh. v. Chr. Die Inschrift lautet:
»Ich bin König geworden über al(le...)
stärke den Arm und...
König von Ägypten für...«
Das Ostrakon ist ein Brief des judäischen Königs Jehoahas (690 v. Chr.), Sohn
des Königs Joschija (639–609 v. Chr.), an Elischib, den Kommandanten der
Festung Arad. Er teilt mit, daß er nach dem Tod seines Vaters König geworden
ist, gibt den Auftrag zur Aufrüstung und warnt vermutlich vor Pharao Necho
(610–595 v. Chr.), der das judäische Heer bei Megiddo zerstreut hat.
(K. Jaroš, Hundert Inschriften, Nr. 54)

die Meder erhielten den Nordwesten und Norden des Reiches, die Babylonier das Zweistromland und Syrien–Palästina. König der Neubabylonier war Nebukadnezar II. (604–562 v. Chr.). König Jojakim, nun
unter babylonischer Oberherrschaft, versuchte mehrmals sich dieser zu
entziehen (602 und 598 v. Chr.). 598 v. Chr. belagerte Nebukadneza-
r II. Jerusalem, da starb der judäische König und sein Sohn und Nachfolger Jojakin wurde nach Babylonien deportiert. Nach 37 Jahren wurde
Jojakin am 23. März 560 v. Chr. begnadigt und zur königlichen Tafel
zugelassen. (A. Jepsen, Sinuhe 195). Die Babylonier setzen in Jerusalem
Zidkija als König ein. Auf Drängen hoher Beamter ließ sich Zidkija
überreden, die Vasallentreue aufzukündigen. Nebukadnezar II. zog daraufhin mit einem Heer vor Jerusalem und ließ die Stadt belagern. Nach
Vernichtung eines ägyptischen Entsatzheeres durch die Babylonier ord-
nete Nebukadnezar II. die Zerstörung und Vernichtung Jerusalems an
(587/86 v. Chr.). Die Ostraka von Lachisch (Abb. 47) zeigen uns die
verzweifelte Situation der Judäer. Lachisch konnte sich mit Jerusalem
am längsten halten.

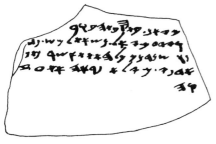
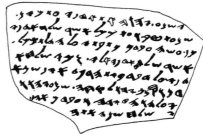

Abb. 47   Ostrakon Nr. 4, von Lachisch, um 587 v. Chr. Der Text lautet:

(1)   »Es möge hören lassen Jahwe meinen Herrn nun wie täglich

(2)   Nachrichten des Guten. Und nun gemäß allem, was mein Herr schickte,

(3)   ja, so hat dein Knecht getan. Ich habe geschrieben auf die Tafel gemäß allem,

(4)   was mein Herr mir schickte. Und wenn schickte

(5)   mein Herr betreffs der Sache von Bet-Harrapid; dort ist kein

(6)   Mensch (mehr). Und Semakjahu, ihn hat genommen Schemajahu und

(7(ihn zur Stadt hinaufgebracht. Und dein Knecht, ich kann

(8)   ihn nicht dorthin (heute) schicken.

(9)   Aber gewiß (werde ich ihn schicken) im Verlauf des Morgens;

(10) Und (mein Herr) möge wissen, daß auf die Signale von Lachisch wi=

(11) r warten wie auf alle Anweisungen, die gibt

(12) mein Herr; denn wir können nicht mehr sehen die Rauchsignale von Ase=

(13) ka.«

Der Brief ist an einen übergeordneten Beamten in Lachisch gerichtet.

Die Situation angesichts der babylonischen Armee ist schon beängstigend.

Aseka ist bereits gefallen (K. Jaroš, Hundert Inschriften, Nr. 75)

So beseitigten die Neubabylonier das vier Jahrhunderte alte davidische Königtum. Zidkija mußte bei der Abschlachtung seiner Söhne zuschauen und wurde dann geblendet (2 Kön 25). Als babylonischen Statthalter setzte Nebukadnezar Gedalija ein, der in Mizpa residierte. Er wurde nach kurzer Zeit ermordet. Nach Jeremia soll dies im Auftrag des Ammoniterkönigs geschehen sein. Jeremia selber wurde von den Mördern nach Ägypten verschleppt. Die vornehmen Judäer wurden von den Babyloniern in Babylonien angesiedelt.

KÖNIGSLISTEN

Gesamtisrael:

Saul (1012—1004 v. Chr.)
Eschbaal (1004 v. Chr. nur im Norden)
David (1004—965 v. Chr.)
Salomo (965—926 v. Chr.)

Juda:

Rehabeam (926—910 v. Chr.)
Abija (910—908 v. Chr.)
Asa (908—868 v. Chr.)
Josafat (868—847 v. Chr.)
Joram (847—845 v. Chr.)
Ahasja (845 v. Chr.)
Athalja (845—840 v. Chr.)
Joasch (840—801 v. Chr.)
Amasja (801—773 v. Chr.)
Asarja (787—756. 736 v. Chr. gest.)
Jotam (756—741 v. Chr.)
Ahas (741—725 v. Chr.)
Hiskija (725—697 v. Chr.)
Manasse (696—642 v. Chr.)
Amon (641—640 v. Chr.)
Joschija (639—609 v. Chr.)
Joahas (609 v. Chr.)
Jojakim (608—598 v. Chr.)
Jojakin (598/97 v. Chr.)
Zidkija (597—587 v. Chr.)

Israel:

Jerobeam I. (926—907 v. Chr.)
Nadab (907—906 v. Chr.)
Bascha (906—883 v. Chr.)
Ela (883—882 v. Chr.)
Simri (882 v. Chr.)
Omri (882/878—871 v. Chr.), [Tibni
(882—878 v. Chr.)]
Achab (871—852 v. Chr.)
Ahasja (852—851 v. Chr.)
Joram (851—845 v. Chr.)
Jehu (845—818 v. Chr.)

Joahas (818—802 v. Chr.)
Joasch (802—787 v. Chr.)
Jerobeam II. (787—747 v. Chr.)
Sacharja (747 v. Chr.)
Schallum (747 v. Chr.)
Menachem (747—738 v. Chr.)
Pekachja (737—736 v. Chr.)
Pekach (735—732 v. Chr.)
Hoschea (731—723 v. Chr.)

Aramäer von Damaskus: Rezon (ca. 925 v. Chr.)
Chesjon (ca. 920 v. Chr.)
Tabrimmon (ca. 910 v. Chr.)
Ben-Hadad I. (ca. 890 v. Chr.)
Ben-Hadad II. (ca. 860 v. Chr.)
Hazael (ca. 842 v. Chr.)
Ben-Hadad III. (ca. 800 v. Chr.)
Rezin (ca. 740 v. Chr.)

V. BABYLONISCH-PERSISCHE PERIODE
(587–331 v. Chr.)

Mit der Vernichtung Judas durch das neubabylonische Reich im Jahre 587 v. Chr. wurde das letzte israelitische Staatsgefüge auf dem Boden Palästinas für lange Zeit ausgelöscht. Die Assyrer hatten bereits nach 722 v. Chr. auf dem Territorium des Nordreiches Israel endgültig vier assyrische Provinzen errichtet: Dor, Megiddo, Gilead und Samaria. Die Neubabylonier haben diese Provinzeinteilung übernommen und Juda der Provinz Samaria angeschlossen. Die vornehme Bevölkerung wurde nach Babylonien deportiert. Man spricht vom »Babylonischen Exil«. Wo die Deportierten angesiedelt wurden, ist trotz der Angaben in Esr 2,59. 8,17 und Bar 1,4 unbekannt. Das Exil wurde als Strafe JHWH's empfunden. Das Heimweh der Verbannten war zumindest anfangs überaus groß (Ps 137). Fern der Heimat, fern des Tempels entstand ein neues religiöses Bewußtsein, das der Prophet Ezechiel entscheidend mitprägte. Mit der Zeit etablierten sich aber die Judäer in der Fremde, stiegen sogar zu hohen Stellungen auf. Und da ist es nun ein Anliegen der Priesterschrift, deren Grundbestand im Exil entstanden ist, für die alte Heimat zu werben, wo die Ahnen Israels begraben sind und wo der verfallene Tempel JHWH's steht.

Die politischen Umstände kamen den Exilierten sehr zu Hilfe. Das neubabylonische Reich verfiel unter dem unfähigen König Nabonid (555–538 v. Chr.) immer mehr. Auf die Weltbühne trat Kyros II. (559–529 v. Chr.), der Meder und Perser vereinigte. Deuterojesaja jubelte Kyros als dem Werkzeug JHWH's entgegen (Jes 44,28. 45,1. 47). Der Angriff des Persischen Großkönigs ließ auch nicht lange auf sich warten. 539 v. Chr. griff er Nabonid an und schlug ihn. Ungehindert marschierte er nach Babylon, begeistert begrüßt von den Priestern Marduks und vielen Babyloniern. Kyros brachte auch für die exilierten Judäer die entscheidende Wende. Der überaus großzügige und intelligente Herrscher gestattete den Judäern den Aufbau des Jerusalemer Tempels. In Esr 6,3–5 ist dieses Kyros-Edikt noch auszugsweise erhalten. Es stammt aus dem Jahre 538 v. Chr. Indirekt schließt das Edikt natürlich ein, daß die Exilierten in ihre alte Heimat zurückkehren dürfen. Doch die Begeisterung für eine Rückkehr in die alte, unsichere und wohl auch trostlose Heimat hielt sich in Grenzen. Ein gewisser Scheschbazzar wurde mit der Ausführung des Tempelbaues beauftragt. Er

*Abb. 48 Siegelabdruck (Bulle), Anfang 5.Jh. v.Chr. Aufschrift: »Jehud«.
Jehud ist die aramäische Bezeichnung der Provinz Juda. (K. Jaroš, Hundert
Inschriften, Nr. 82)*

brachte das Tempelinventar nach Jerusalem und legte die Fundamente
für den neuen Tempel (Esr 5,14−16). Der Bau kam bald ins Stocken.
Die Lage in Jerusalem und Juda war wohl doch zu entmutigend. Der
persische Großkönig Dareios (521−486 v. Chr.) bestätigte jedoch den
Kyros-Erlaß. Zu der Zeit war Zerubbabel, ein Enkel des judäischen
Königs Jojakin, persischer Unterstatthalter in Jerusalem. Im Frühjahr
des Jahres 515 v. Chr. wurde der Tempel geweiht. Die nächsten fünfzig
Jahre änderte sich jedoch in Juda kaum etwas zum Besseren. Der Neuan-
stoß kam abermals von der persischen Regierung, die aus politischen
Gründen Interesse an einem stabilen Juda hatte. Unter dem persischen
Großkönig Artaxerxes I. (464−424 v. Chr.) kam Nehemia, etwa 445
v. Chr., nach Juda. Nehemia hatte es in der persischen Winterresidenz
Susa bis zum königlichen Mundschenk gebracht. Nun wurde er persi-
scher Statthalter der Provinz Juda, die vor ihm nur eine Unterprovinz
von Samaria gewesen war (Abb. 48).
Artaxerxes gestattete auch, Jerusalems Befestigungsanlagen aufzubauen
(Esr 4,7−22), was allerdings den Samariern recht zuwider war. Sie

*Abb. 49 Siegelabdruck (Bulle), Ende 6.Jh. v.Chr. Aufschrift: »dem Elnatan
(gehörig), Statthalter«. Es handelt sich um einen Siegelabdruck des 3. persischen
Statthalters der Unterprovinz Juda. (K. Jaroš, Hundert Inschriften, Nr. 81)*

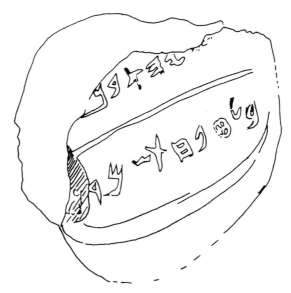

Abb. 50   Siegelabdruck (Bulle) vom Wadi ed-Daliye, Mitte 4. Jh. v. Chr. Aufschrift: »(dem Jescha)jahu (gehörig), Sohn (des San-)ballat, Statthalter von Samaria«. Jeschajahu war persischer Statthalter der Provinz Samaria. Sein Vater war der Statthalter Sanballat III. (K. Jaroš, Hundert Inschriften, Nr. 83)

intervenierten daher auch über den Satrapen von Transeuphrat beim Großkönig. Vorerst erreichten die Samarier, was sie wollten. Als aber Nehemia beim Großkönig die Trennung Judas von Samaria durchsetzte und selber neuer Statthalter wurde, begann der Aufbau Jerusalems. Samariens Statthalter: Sanballat I. spottete darüber. Als jedoch das Werk wuchs, planten Samaria und Ammon einen Zerstörungsangriff, der jedoch nicht zur Ausführung kam, da Nehemia rechtzeitig davon erfuhr. In erstaunlich kurzer Zeit war Jerusalem wieder befestigt. Nehemia hat weiter die Lage in der Provinz Juda normalisiert.

Er verbot die Mischehe und sorgte für die pünktliche Ablieferung der Tempelsteuer. Ebenso führte er die strenge Sabbatruhe ein. Mit den inneren religiösen Angelegenheiten befaßte sich jedoch Nehemia nicht. Dies war Aufgabe des Esra, eines Priesters, der ebenfalls von der persischen Regierung nach Juda entsandt wurde, um für die Durchsetzung des Gottesgesetzes zu sorgen. Was dieses Gottesgesetz war, läßt sich

heute nicht mehr genau sagen. Wahrscheinlich waren es Teile der priesterlichen Gesetzgebung des Pentateuch. Esra hat mit Nachdruck für die
Neuordnung des Kultes und der Sitten gesorgt. Die Jerusalemer
Gemeinde fand unter ihm die Form, die bis zum Jahre 70 n. Chr. bleiben
sollte. Es herrschte die priesterliche Hierarchie, an der Spitze der Hohepriester. Die Priester fühlten sich als Zadokiden (von Zadok, dem Priester zur Zeit Davids) und führten ab nun ihren Ursprung auch auf den
»Mosebruder« Aaron zurück. Neben den Priestern formte sich auch der
niedere Klerus, die Leviten.
Der Pentateuch kam zu kanonischem Ansehen. Seit dem Exil gab es keinen davidischen König mehr in Jerusalem: doch die Hoffnung auf den
Sohn Davids starb nicht. In 1 Chr 17,11−14 wird die Natansweissa-
gung an David eschatologisch erweitert. In der nachexilischen Zeit liegt
die Geburtsstunde der davidisch-messianischen Erwartung.

STATTHALTER, SOWEIT IHRE NAMEN BEKANNT SIND:

Samaria:	Nabu-mukin-aḫi (ca. 690 v. Chr.)	assyrische
	Nabu-schar-ahe-schu (ca. 648 v. Chr.)	Statthalter
	Sanballat I. (ca. 485 geb.)	
	Delaja (ca. 460 v. Chr. geb.)	
	Sanballat II. (ca. 435 v. Chr. geb.)	persische
	Hananja (ca. 410 v. Chr. geb.)	Stadthalter
	Sanballat III. (ca. 385 v. Chr. geb.)	
	Jeschajahu (Abb. 50)	
Juda:	Scheschbazzar (ca. 538 v. Chr.)	Juda persische
	Serubbabel (ca. 515 v. Chr.)	Unterprovinz
	Elnatan (spätes 6. Jh. v. Chr. Abb. 49)	von
	Ahzai (frühes 5. Jh. v. Chr.)	Samaria
	Nehemia (ca. 445−433 v. Chr.)	Juda persische
	Bagohi (um 408 v. Chr.)	Provinz
	Jeheskijahu (ca. 330 v. Chr.)	

VI. Das hellenistische Palästina

(331–40 v. Chr.)

Nachdem es Alexander dem Großen gelungen war, in kürzester Zeit den gesamten Orient und Ägypten unter seine Herrschaft zu bringen, zerfiel nach seinem Tod im Jahre 323 v. Chr. dieses künstliche Gebilde in Teilstaaten: Antigonus erhielt Kleinasien, Seleukos das Zweistromland und Nordsyrien, Ptolemäus Ägypten. Palästina war in der Folgezeit dauerndes Streitobjekt zwischen Seleukiden und Ptolemäern. Die hellenistische Kultur begann das Leben Palästinas zu beherrschen. Solange die Juden unter der ptolemäischen Machtsphäre lebten (301–198 v. Chr.), konnten sie ungehindert ihren alten Traditionen nachgehen und JHWH verehren. Die Juden der Oberschicht waren dem Hellenismus gegenüber sehr offen, und es gab Versuche, die israelitische Religion von der neuen Weltanschauung her zu deuten. Besonders in der jüdischen Diaspora waren die Hellenisierungstendenzen stark zu spüren. Die Juden der Diaspora übernahmen auch die griechische Sprache, beschäftigten sich mit griechischer Philosophie und Literatur, pflegten die Kultur im Theater und Gymnasion. In Alexandria entstand zu dieser Zeit die erste Übersetzung der Bibel ins Griechische; zuerst der Pentateuch, dann die anderen Bücher. Diese Übersetzung heißt Septuaginta, weil der Legende nach siebzig jüdische Gelehrte siebzig Tage lang daran gearbeitet haben sollen. Diese Neuerungen stießen aber auf den heftigsten Widerstand der Gesetzestreuen. Sie können unter der Bezeichnung »chassidim rischonim« (frühere Fromme) zusammengefaßt werden. Aus diesen Kreisen gingen Pharisäer und Essener hervor.

In der Zeit der ptolemäischen Herrschaft über Palästina vollzog sich weiters die Loslösung der Samaritaner von den Juden. Wir haben schon bisher im Verlauf der Geschichte Israels gesehen, daß es zwischen Nord- und Südstämmen eine dauernde Rivalität gegeben hatte. Unter David und Salomo bestand zwar eine Einheit, aber sie zerbrach nach dem Tod Salomos im Jahre 926 v. Chr. Als in der nachexilischen Zeit Juda als persische Provinz langsam wieder erstand, flammten die alten Gegensätze erneut auf. Aber dies alleine würde nicht für ein religiöses Schisma ausreichen. Die Gründung der samaritanischen Kultgemeinde geht hauptsächlich auf zwei Ereignisse zurück: Einerseits wurde Samaria, die ehemalige Hauptstadt des Nordreiches, seit Alexander dem Großen eine völlig hellenistische Stadt. Das hatte zur Folge, daß sich die JHWHtreuen Samarier weiter südlich in Sichem niederließen und die Stadt neu gründeten. Andererseits gab es in Jerusalem Gruppen frei gesinnter Priester, die sich der strengen Gesetzgebung der nachexilischen Zeit nicht beugen wollten; besonders lehnten sie die strengen Ehegesetze ab, nach denen eine Heirat mit einer Nichtisraelitin, aber auch mit Frauen aus Samaria verboten war. Diese Priester wurden deshalb aus Jerusalem vertrieben und siedelten sich ebenfalls in Sichem an. Beide Gruppen: die ehemaligen Jerusalemer Priester und die Samarier von Sichem sind die Gründer eines neuen JHWH-Kultes geworden. Ihr Tempel stand am Berg Garizim bei Sichem. Es hat jedoch noch eine zeitlang zwischen Jerusalem und Sichem-Garizim Verbindungen gegeben. Erst als der hasmonäische König Hyrkan I. im Jahre 128 v. Chr. den Garizim-Tempel zerstörte und ca. 20 Jahre später auch die Stadt Sichem, war das Schisma perfekt. Von diesem Zeitpunkt an bis fast in unser Jahrhundert hinein ist die Geschichte der Samaritaner mit Blut geschrieben. Juden, Christen, Römer und Moslem haben sie verfolgt und unterdrückt, an ihrem Kult gehindert.

Während des ganzen 3. Jhs. v. Chr. stand Palästina unter der Herrschaft der Ptolemäer. Die Seleukiden waren aber bestrebt, ihre Macht auf Palästina auszudehnen. Als im Jahre 198 v. Chr. Ptolemäus V. von dem Seleukiden Antiochus III. in der Schlacht bei Paneas besiegt wurde, kam Palästina an die Seleukiden. Anfangs tasteten diese die religiöse Autonomie der Juden nicht an. Erst unter Antiochus IV. (175−163 v. Chr.) kam es zum Konflikt. Antiochus begann sich in die inneren religiösen Angelegenheiten Jerusalems einzumischen, indem er hellenistisch gesinnte Hohepriester einsetzte und alles förderte, was in Jerusalem hellenistisch war. Als Antiochus Widerstand spürte, kam er selber nach Jerusalem und zog den Tempelschatz zu seinen Gunsten ein. Da ihm dies aber noch nicht genug schien, zerstörte er kurz darauf Jerusalem, siedelte hellenistisch gesinnte Juden an und verbot den JHWH-Kult, und zwar das Halten des Sabbats, die Beschneidung und das JHWH-Opfer, unter Todesstrafe. Die Heiligen Schriften wurden verbrannt. Der Jerusalemer Tempel wurde dem Zeus Olympios geweiht.

Diese Zwangshellenisierung war jedoch zuviel. Das Zeichen für den Aufstand wurde gegeben, als in Modein (östlich von Lod) der Priester Mattatias das heidnische Opfer verweigerte und einen Juden und den seleukidischen Beamten, die ein Zeusopfer darbrachten, erschlug. Daraufhin zog sich Mattatias mit seiner Familie und einer Schar Gleichgesinnter in die Wüste zurück. In der Wüste verbanden sich mit ihm auch die Chassidim (Frommen), die sich aus religiösem Protest dorthin zurückgezogen hatten und das Reich JHWH's erwarteten. Von der Wüste aus unternahmen die Aufständischen etwa ab dem Jahre 166 v. Chr. kleinere Überfälle, töteten Abtrünnige und erzwangen die Kinderbeschneidung. Als Mattatias schon 166 v. Chr. starb, übernahm sein Sohn Judas die Führung. Er trug den Beinamen »der Makkabäer« (der Hammergleiche). Man spricht daher auch von den Makkabäerkämpfen. Judas ging zu einem großen Angriff über und schlug den seleukidischen Heerführer Georgias bei Emmaus und ein Jahr darauf bei Bet Zur. Im Jahre 165 v. Chr. konnte er auch Jerusalem zurückgewinnen. Am 25. Kislew (im Dezember) des Jahres 165 v. Chr. wurde der Tempel neu geweiht. Zur Erinnerung an diesen Tag feiern die Juden bis heute das Hanukka-Fest. Die Seleukiden schlugen 163 v. Chr. massiv zurück. Judas wurde bei Bet Sacharja geschlagen und dann in Jerusalem belagert. Ein unvorhergesehenes Ereignis rettete jedoch Judas: Der Ausbruch einer Revolution in Persien zwang den seleukidischen König Antiochus V. zu einem Waffenstillstand mit Judas. Dabei wurde auch das Verbot der JHWH-Verehrung aufgehoben. Da jetzt die alte Religion im Land frei ausgeübt werden konnte, gaben sich die Chassidim damit zufrieden, die Makkabäer aber strebten weiter: sie wollten von den Seleukiden vollständig unabhängig sein. Aber erst im Jahre 128 v. Chr. waren die Seleukiden so geschwächt, daß sie für Palästina keine Gefahr mehr darstellten. Erst ab diesem Zeitpunkt konnte Johannes Hyrkan I., ein Enkel des Mattatias, der Sohn des Simon, das Land autonom regieren. Hyrkan stieß aber auf die massive Kritik der Pharisäer, die das politische Machtstreben verurteilten. Darauf wandte sich Hyrkan den Sadduzäern zu. Beide Gruppen werden hier zum erstenmal erwähnt.

Die Sadduzäer setzten sich aus Angehörigen der zadokischen Priesteraristokratie zusammen. Sie waren theologisch konservativ, d. h. sie lehnten die Weiterentwicklung der Schriftauslegung ab, erkannten nur die Tora als Heilige Schrift an und verwarfen die apokalyptischen Ideen, sowie die Geister- und Engellehre und die Auferstehung der Toten. Sie erstrebten einen Staat nach hellenistischem Muster und standen daher in ihren politischen Zielen den Makkabäern/Hasmonäern sehr nahe.

Die Pharisäer (die Abgesonderten) gingen aus den Kreisen der Chassidim hervor. Sie sahen mit der Zeit, daß das »untätige« Warten auf das Reich JHWH's nichts fruchtete und wandten sich voll dem Leben zu. Die Hauptforderung der Pharisäer war ein genaues Beachten und Einhalten des Gesetzes. Sie bejahten die mündliche Tradition und die neue Schriftauslegung. Sie waren die aufgeschlossenen Theologen der damaligen

Zeit. Auch sie warteten auf das Reich Gottes, aber sie lehnten die Berechnung des Zeitpunktes ab.

In der ersten Hälfte des 2. Jhs. v. Chr. entstand eine weitere Gruppe: die Essener. Wir haben darunter wahrscheinlich die uns schon bekannten Chassidim zu verstehen, und zwar nach der Abspaltung der Pharisäer. Ein Zweig dieser Gruppe, vielleicht sogar der wichtigste, wurde kurz nach dem Zweiten Weltkrieg bekannt, als ein Hirtenjunge in einer Höhle am Toten Meer Schriftrollen fand und dann in Qumran systematische Ausgrabungen begannen. Aus den gefundenen Schriften wird deutlich, daß es sich um Essener handelt. Sie standen in schroffem Gegensatz zu den Priestern von Jerusalem. Sie selber waren ursprünglich Jerusalemer Priester gewesen, gingen jedoch von Jerusalem weg in die Wüste Juda, weil Gott nach ihrer Auffassung in dem von unwürdigen Priestern verwalteten Tempel nicht mehr wohnte. Sie bildeten am Toten Meer eine klosterähnliche Gemeinschaft, hielten sich für das wahre Israel, bezeichneten sich als die »Gemeinde des Neuen Bundes« und »Kinder des Lichtes«. Nach ihrer Auffassung steht das Endgericht bevor, so daß sich die Kinder des Lichtes von denen der Finsternis trennen müssen. Ihre Grundauffassung ist:

Leben in der Ordnung der Gemeinde, Gott suchen mit ganzer Seele und ganzem Herzen, tun, was gut und recht vor ihm ist, wie er durch Mose und seine Diener, die Propheten, befohlen hat; alles lieben, was er erwählt hat, aber alles hassen, was er verworfen hat. Sich fernhalten vom Bösen, aber festhalten an allen guten Werken... alle Kinder des Lichtes lieben, aber alle Kinder der Finsternis hassen. (1 QS I, 1 ff.)

Neben dieser ganz streng und ehelos lebenden Gemeinschaft gab es auch einen Zweig für verheiratete Mitglieder der Essener.

Die Dynastie der Makkabäer/Hasmonäer (Hasmonäer ist die Bezeichnung, die der jüdische Historiker Josephus Flavius den Makkabäern gab, und zwar nach dem Ahnherrn der Dynastie Hasmon) konnte Palästina bis zum Jahre 65 v. Chr. die politische Selbständigkeit erhalten. Der römische Feldherr Pompejus war zu dieser Zeit gerade daran, Syrien zu unterwerfen. In Jerusalem stritten die Brüder Aristobul und Hyrkanus um die Herrschaft. Beide wandten sich zweimal an die Römer. Pompejus reagierte vorerst nicht. In der Folge gelang es jedoch Aristobul, die Herrschaft für sich zu gewinnen. Pompejus unterwarf daraufhin Juda und belagerte Jerusalem, so daß sich Aristobul ergeben mußte. Einige seiner Anhänger verteidigten jedoch noch drei Monate den Tempelbezirk. An diesen nahm Pompejus grausame Rache. U. a. betrat Pompejus selber das Allerheiligste, verbot aber den JHWH-Kult nicht. Aristobul mußte in römische Gefangenschaft.

Pompejus machte nun Syrien—Palästina zur römischen Provinz und setzte Scaurus als Statthalter ein. Dem Hohenpriester Hyrkanus wurden Judäa, Idumäa, Galiläa und Peräa unterstellt. Die Küstenstädte und die Dekapolis (ein Städtebund) unterstanden unmittelbar dem Statthalter von Syrien. Samaria wurde ein eigener Verwaltungsbezirk. Gabinus, der römische Statthalter von Syrien—Palästina, ging noch einen Schritt weiter. Im Jahre 57 v. Chr. entzog er dem Hohenpriester jede politische Befugnis; sein Gebiet wurde in fünf Verwaltungsbezirke geteilt (Jerusalem, Gazara, Jericho, Peräa und Galiläa) und dem Statthalter unmittelbar unterstellt. Diese unkluge politische Entscheidung hob jedoch Gabinus selber sehr schnell wieder auf, und Hyrkanus konnte als Hoherpriester seine politische Macht weiter ausüben. Als Hoherpriester stand er dem Hohen Rat vor, der aus Oberpriestern, Ältesten und Schriftgelehrten bestand und die oberste jüdische Instanz in weltlichen wie geistlichen Angelegenheiten war.

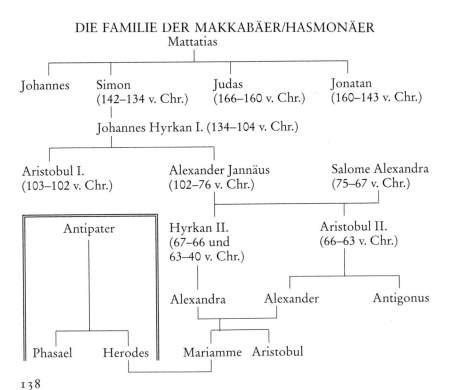

DIE FAMILIE DER MAKKABÄER/HASMONÄER

Mattatias

Johannes — Simon (142–134 v. Chr.) — Judas (166–160 v. Chr.) — Jonatan (160–143 v. Chr.)

Johannes Hyrkan I. (134–104 v. Chr.)

Aristobul I. (103–102 v. Chr.) — Alexander Jannäus (102–76 v. Chr.) — Salome Alexandra (75–67 v. Chr.)

Antipater

Hyrkan II. (67–66 und 63–40 v. Chr.) — Aristobul II. (66–63 v. Chr.)

Alexandra — Alexander — Antigonus

Phasael — Herodes — Mariamme — Aristobul

VII. Die Römische Zeit

(40 v. Chr. bis 324 n. Chr.)

1. DIE HERODIANISCHE DYNASTIE UND DIE RÖMISCHEN PRÄFEKTEN BIS ZUM 1. JÜDISCHEN AUFSTAND

Der politische Gegenspieler des Hohenpriesters Hyrkan II. war Antipater. Beide verstanden es auf je ihre Weise, die Gunst Caesars zu gewinnen. Beide unterstützten Caesar bei seinen kriegerischen Abenteuern in Ägypten. Caesar belohnte beide, indem er Hyrkan zum erblichen Hohenpriester und Ethnarchen ernannte, Antipater das römische Bürgerrecht verlieh und ihn zum Statthalter von Judäa ernannte. Antipater übertrug seinem älteren Sohn Phasael die Kompetenz über Judäa und Peräa, seinem jüngeren Sohn Herodes die Kompetenz über Galiläa. Herodes machte sich bei der galiläischen Bevölkerung sehr beliebt, weil er das Räuberunwesen erfolgreich bekämpfte. Auch der römische Prokurator der Provinz Syrien—Palästina, Sextus Caesar, war durch die Erfolge des jungen Herodes sehr beeindruckt. Der Hohe Rat von Jerusalem betrachtete aber diese Entwicklung mit Argwohn. Man wollte Herodes in Jerusalem sogar den Prozeß machen. Herodes marschierte kurzerhand in Judäa ein; aber es blieb eine reine Machtdemonstration. Als nach der Ermordung Caesars im Jahre 44 v. Chr. Syrien—Palästina einen neuen Statthalter bekam, C. Cassius Longinus, gewann Herodes sehr schnell sein Vertrauen. Durch seine Heirat mit Mariamme, einer Enkelin Aristobuls, kam nun Herodes in ein verwandtschaftliches Verhältnis zu den Hasmonäern. Im Jahre 43 v. Chr. ernannte ihn Antonius zum Tetrarchen und übertrug ihm zusammen mit seinem Bruder Phasael die Herrschaft über Judäa. Bald jedoch mußte Herodes aus Jerusalem fliehen, da Antigonus dort seinen Einfluß verstärken konnte. Im Jahre 40 v. Chr. wurde Herodes durch Beschluß des römischen Senates König über Judäa. Aber erst im Jahre 37 v. Chr. konnte er seine Herrschaft antreten, nachdem sein Gegner Antigonus besiegt und hingerichtet worden war. Das Gebiet des Herodes umfaßte nun Judäa, Idumäa, Peräa und Galiläa. Herodes war klug genug, sich in die Streitigkeiten zwischen Antonius und Octavian nicht einzumischen. Auch aus der Schlacht bei Actium im Jahre 31 v. Chr. hielt er sich heraus. Da Octavian, der sich nunmehr Augustus nannte, siegreich aus dieser Schlacht hervorging, war Herodes, der Günstling des Antonius, sehr gefährdet. Aber es gelang ihm, von Augustus in seiner Königswürde bestätigt zu werden. Er erhielt

Abb. 51   Das Reich des Herodes
(M. Kellermann u. a., Welt, aus der die Bibel kommt, S. 51, Karte 5)

140

sogar noch die palästinischen Besitzungen Kleopatras, nämlich Jericho und die Küstenstädte, von Augustus. Ferner erhielt er im Laufe der Zeit auch Samaria und das Ostjordanland, ausgenommen die Dekapolis. Damit erreichte das Gebiet des Herodes fast eine Ausdehnung wie das davidische Reich (Abb. 51). In seiner Außenpolitik war Herodes natürlich völlig von den Römern abhängig, in der Innenpolitik jedoch autonom. Selbst das Recht, seine Nachfolge zu bestimmen, wurde ihm von Rom gegeben. Der Kaiser behielt sich nur die letzte Entscheidung vor. Herodes war ein hochbegabter Herrscher, der Diplomatie mit Strategie zu verbinden verstand. Wenn es um seine Macht ging, waren ihm alle Mittel recht. Den »Makel« nichtköniglicher Abstammung überspielte er durch seine Heirat mit der Hasmonäerin Mariamme. Seine beiden Söhne aus dieser Ehe, Alexander und Aristobul, bestimmte er zu seinen Nachfolgern. Doch der Argwohn des Königs gegen seine hasmonäischen Verwandten wurde immer größer und steigerte sich fast bis ins Wahnsinnige. Diesen Argwohn nutzten Angehörige der herodäischen Familie wie Antipater, ein Sohn des Herodes von der Jerusalemerin Doris. Sie erreichten schließlich, daß Herodes seine geliebte Frau Mariamme, seine Schwiegermutter Alexandra und seine beiden Söhne Alexander und Aristobul hinrichten ließ. Selbst den ehemaligen Hohenpriester und Großvater Mariammes ließ er achtzigjährig hinrichten. Als aber Herodes schließlich hinter das Intrigenspiel seines Sohnes Antipater kam, ließ er auch ihn hinrichten.

Ein wesentliches Merkmal der Herrschaft Herodes' des Großen, wie ihn die Nachwelt nannte, war seine ungeheure Bautätigkeit. Er ließ die Stadt Samaria neu bauen und nannte sie nach seinem kaiserlichen Gönner Sebaste (Sebaste ist das griechische Wort für Augusta). Caesarea wurde unter ihm die größte Hafenstadt der damaligen Welt. Zur Ehre seines Vaters erbaute er die Stadt Antipatris nördlich von Lod. Seinem Bruder zu Ehren baute er die Stadt Phasaelis nördlich von Jericho. In Jericho schuf er sich eine Winterresidenz. Die Hyrkania, Masada, Machärus und das Alexandreion ließ er neu befestigen, und die Festung Kypros und das Herodeion hat er gegründet. Sein Hauptaugenmerk richtete er aber auf Jerusalem, aus dem er eine Weltstadt machte. Der Tempel wurde restauriert und erweitert (Abb. 52), die Burg Antonia angelegt sowie die Herodesburg u. a. Als im Jahre 15 v. Chr der Schwiegersohn des Kaisers, Agrippa, in Palästina auf Staatsbesuch weilte, konnte Herodes mit Stolz auf seine Bautätigkeit hinweisen.

Es wäre ungerecht, diesen großen Herrscher nur nach seinen negativen Eigenschaften zu beurteilen. Seine Regierung brachte nach den jahrhun-

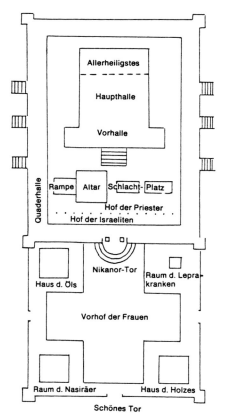

*Abb. 52   Der Herodianische Tempel
(E. Otto, Jerusalem, S. 134, Abb. 10)*

dertelangen Wirren eine Zeit des inneren Friedens für das Volk. Auch
von außen gab es durch Kriege keine Bedrohung, Handel und Wirtschaft
nahmen einen großen Aufschwung. Bei der Hungersnot des Jahres 25/24
v. Chr. tat Herodes alles, um die Not der Bevölkerung zu lindern. Für
die Juden der Diaspora trat er wiederholt vor dem Kaiser ein. Selbst als
die Pharisäer ihm und dem Kaiser den Eid verweigerten, achtete er ihre
religiöse Gesinnung und legte ihnen nur eine Geldbuße auf. Trotzdem
aber wurde Herodes immer unbeliebter. Man sah in ihm einen Fremden
und einen Römerfreund, der der hellenistischen Religionsmischung hul-
digte und der die hasmonäische Familie ausgerottet sowie auch andere
politische Morde auf seinem Gewissen hatte und der die Hohenpriester
nach seinem Gutdünken ein- und absetzte. Kurz vor seinem Tod rissen
die Pharisäer den goldenen Adler vom Portal des Tempels und drückten

dadurch ihren Mißmut gegen die königlichen Maßnahmen aus. Herodes rächte sich an ihnen durch ein blutiges Strafgericht. Im Jahre 4 v. Chr. starb Herodes in Jericho und wurde nach seinem Wunsch im Herodeion beigesetzt.

Der Tod Herodes' des Großen hinterließ ein politisches Vakuum. Gemäß seinem Testament sollte sein Reich unter seinen Söhnen geteilt werden, was aber eine jüdische Gesandtschaft beim Kaiser in Rom verhindern wollte. Doch vorerst erreichten die Juden nichts. Archelaus, der Sohn der Samaritanerin Maltake, erhielt Judäa und Samaria mit dem Titel eines Ethnarchen. Der Königstitel wurde ihm von Augustus versagt. Die hellenistischen Städte Gaza, Gadara und Hippos wurden von seinem Bereich ausgeklammert. An Antipas fielen Galiläa und Peräa, an Philippus die Gebiete Trachonitis, Batanaia und Auranitis im Ostjordanland. Archelaus verlor jedoch bald sein Reich, da ihn der Kaiser auf eine Beschwerde von Juden und Samaritanern absetzte und nach Gallien verbannte. Judäa und Samaria wurden der römischen Provinz Syrien angeschlossen und einem Präfekten unterstellt, der in Caesarea am Meer residierte. Philippus regierte bis zu seinem Tod im Jahre 34 n. Chr. Danach wurde sein Gebiet ebenfalls Teil der Provinz Syrien. Antipas war mit der Tochter des Nabatäerkönigs Aretas verheiratet. Diese Ehe scheiterte jedoch durch Intrigen der Herodias, einer Enkelin Herodes des Großen. Sie war mit einem anderen, unbedeutenden Herodes-Sohn verheiratet, veranlaßte jedoch mit Hilfe des Antipas ihre Scheidung. Antipas verließ seine Frau und heiratete Herodias. Ihre Tochter Salome wurde später Frau des Philippus. Ihre Rolle bei der Enthauptung Johannes des Täufers ist auf vielfältige Weise in die Weltgeschichte eingegangen. Johannes wurde deswegen von Antipas auf Machärus eingekerkert, weil er die Unrechtmäßigkeit seiner Ehe angeprangert hatte. Im Jahre 36 n. Chr. rächte auch der Nabatäerkönig seine verstoßene Tochter und fügte Antipas eine militärische Niederlage zu. Im Jahre 39 n. Chr. wurde Antipas bei Kaiser Caligula von Herodes Agrippa, einem Bruder der Herodias, des Hochverrates beschuldigt. Er wurde nach Gallien verbannt. Herodes hatte schon 37 n. Chr. von Caligula den Königstitel erhalten. Nach der Verbannung des Antipas bekam er auch Galiläa und Peräa. 41 n. Chr. betraute ihn Kaiser Claudius mit Judäa, Idumäa und Samaria. Sein Gebiet war praktisch mit dem seines Großvaters Herodes' des Großen identisch. Agrippa machte sich bei den Juden sehr beliebt, nicht zuletzt durch seine Verfolgung der Christen (Apg 12,1 ff.). Er starb 44 n. Chr. in Caesarea (Apg 12,21–23). Sein Gebiet kam ganz an die Provinz Syrien. Erst 50 n. Chr. übertrug Kaiser Claudius dessen Sohn,

Agrippa II., das Königreich Chalkis und das Recht, den Hohenpriester in Jerualem einzusetzen. Später konnte er sein Territorium noch vergrößern.

Seit 9 n. Chr. lag das entscheidende politische Gewicht in den Händen der römischen Präfekten, die dem Statthalter der Provinz unterstanden. Der Präfekt hatte für Ruhe und Ordnung zu sorgen und zu diesem Zweck römische Truppen zur Verfügung, er war das oberste Gericht, besonders im Hinblick auf Kapitalprozesse, und er hob mit Hilfe jüdischer Zöllner die Steuern ein. Für innerjüdische Angelegenheiten war weiterhin der Hohe Rat in Jerualem zuständig. Im großen und ganzen nahmen die Römer auf die religiösen Besonderheiten der Juden Rücksicht. Sie waren z. B. vom Kaiserkult befreit, weil dieser mit ihrem Eingottglauben nicht vereinbar war. Auch das Bilderverbot respektierten die Römer insofern, als es den Legionen verboten war, Standarten und Kaiserbilder in Jerusalem zu führen. Trotzdem gab es aber Konfliktstoff genug, da die Präfekten nicht immer die jüdischen Privilegien respektierten. Pontius Pilatus wollte z. B. Schilde mit Weihaufschriften für den Kaiser in Jerusalem aufstellen lassen oder konfiszierte den Tempelschatz, um damit eine Wasserleitung nach Jerusalem zu bauen. Sein brutales Vorgehen gegen die Samaritaner führte schließlich im Jahre 36 n. Chr. zu seiner Abberufung. Als Kaiser Caligula den Kaiserkult auch für Jerusalem befahl, überging der Präfekt Petronius klugerweise diesen Befehl, um einen offenen jüdischen Aufstand zu verhindern. Da Caligula 41 n. Chr. ermordet wurde, kam es zu keinen Sanktionen. Kaiser Claudius hob den Befehl seines Vorgängers auf. Die antirömische Stimmung der Juden verkörperte sich in der Sekte der Zeloten (Eiferer), die mit Gewalt die Römer vertreiben wollten und eine messianische Zeit anbrechen sahen.

Die Lage verschärfte sich noch beträchtlich unter den Präfekten nach dem Tod Herodes' Agrippa I. Unter dem Präfekten Antonius Felix (52–60 n. Chr.) entstand die Sekte bzw. Untergrundbewegung der Sikarier, die durch Meuchelmord alle zu vernichten suchten, die mit den Römern auf irgendeine Weise zusammenarbeiteten. Dazu wimmelte es im Lande von schwärmerischen, messianischen Bewegungen, die die Römer nur mühsam niederhalten konnten. Die Präfekten Albinus und Gessius Florus führten ohne Rücksicht die ausbeuterische Politik fort, so daß ein allgemeiner jüdischer Aufstand in der Luft lag. In Caesarea kam es zu blutigen Auseinandersetzungen zwischen Juden und Syrern. Der Präfekt Gessius Florus zog sich nach Samaria-Sebaste zurück und ließ eine Bittdelegation vornehmer Juden einfach verhaften. Im August 66

n. Chr. kam es in Caesarea zu einem Blutbad unter der jüdischen Bevölkerung, das Griechen begonnen hatten. Das Signal zum Aufstand war nun gegeben! In Jerusalem besetzten die Aufständischen unter Eleasar den Tempel. Der Hohepriester Jonatan wurde ermordet. Sein Palast, der Palast des Agrippa und die Antonia gingen in Flammen auf. Die römischen Besatzungstruppen wurden hingemetzelt. Die Festung Masada und das Herodeion nahmen die Aufständischen schnell ein. Der Prokurator der Provinz Syrien C. Gestius Gallus, kam dem Präfekten Florus mit einer Legion zu Hilfe, drang bis Jerusalem vor, mußte sich aber schwer bedrängt zurückziehen.

In Galiläa befehligte Joseph ben Mattias die Aufständischen, der spätere Geschichtsschreiber Josephus Flavius.

Kaiser Nero beauftragte seinen erfahrensten Feldherrn, T. Flavius Vespasianus, mit der Niederwerfung des Aufstandes. Er rückte mit drei Legionen und zahlreichen Hilfstruppen 67 n. Chr. nach Galiläa vor. Nach 47 Tagen nahm er Jotapata, wo sich die Aufständischen unter Josephus zurückgezogen hatten. Josephus ergab sich und wurde sehr milde und vornehm behandelt. Im Herbst 67 war Galiläa fast wieder ganz in römischer Hand. Im Frühjahr 68 n. Chr. ging Vespasianus zum Generalangriff über, nahm Idumäa, Samaria, das judäische Bergland und Jericho. Da starb am 9. Juni 68 n. Chr. Kaiser Nero. Der römische Angriff kam ins Stocken. In Jerusalem brachen unter den Aufständischen blutige Machtkämpfe aus: Simon bar Giora und der Zelotenführer Jochanan von Gischala kämpften um die Vorherrschaft. Vespasianus wurde am 1. Juli 69 n. Chr. von den Truppen des Orients zum neuen Kaiser ausgerufen und mußte die Weiterführung des Krieges gegen die Juden seinem Sohn Titus anvertrauen. Im Frühjahr schloß Titus mit 5 Legionen Jerusalem ein und begann den Angriff auf die Stadt von Norden. Mit Hilfe von Belagerungsmaschinen wurden die Nordmauer zum Einsturz gebracht und die nördlichen Bezirke der Stadt erobert. Im Juli 70 n. Chr. fiel die Burg Antonia. Inzwischen wüteten Seuchen und Hunger in der Stadt. Die Mauern des herodianischen Tempels waren jedoch so massiv, daß sie den Belagerungsmaschinen trotzten. Titus gab daher Befehl, das Torgebäude in Flammen zu stecken. Dadurch fing auch der Tempel Feuer und war verloren. Die Stadt wurde geplündert, fast völlig zerstört und unter der Bevölkerung ein entsetzliches Blutbad angerichtet. Die Führer des Aufstandes, Simon bar Giora und Jochanan von Gischala, fielen den Römern lebend in die Hände. Sie wurden in Ketten beim Triumphzug des Titus in Rom mitgeführt.

Nach dem Fall Jerusalems leisteten nur mehr die Festungen Herodeion,

Machärus und Masada Widerstand. Ernste Schwierigkeiten bereitete den Römern jedoch nur Masada. Die Zeloten von Masada unter ihrem Führer Eleasar lehnten jede Übergabe ab. Erst im Frühjahr 73 n. Chr. (!) gelang den Römern die Erstürmung von Masada. Sie umgaben den Felsen von Masada mit einer gigantischen Umwallung und legten im Westen eine hohe Belagerungsrampe an, von der aus es den Belagerungsmaschinen gelang, eine Bresche in die Mauer zu schlagen. Die Römer fanden jedoch die Verteidiger nicht mehr lebend vor. Sie hatten sich mit ihren Kindern und Frauen selbst getötet, um dem schmählichen Los der Sklaverei zu entgehen. Josephus gibt ihre Zahl mit 960 an. Er schreibt u. a.:

Als sie (die Römer) aber auf die Menge der Ermordeten trafen, freuten sie sich keineswegs wie über den Tod von Feinden; vielmehr bewunderten sie den Edelmut des Entschlusses und die Todesverachtung, die sich in so vielen Männern unbeugsam zur Tat umgesetzt hatte.

(Bellum 7,405 b)

Das Scheitern des ersten jüdischen Aufstandes, die Zerstörung Jerusalems und des Tempels ist die einschneidendste Kerbe in der Geschichte des jüdischen Volkes auf dem Boden Palästinas. Rom legte endgültig seine Hand auf Palästina. Judäa wurde nun eine eigene kaiserliche Provinz mit einem Prokurator in Cäsarea am Meer.
Mit der Vernichtung des Tempels geht die Geschichte des jüdischen Opferkultes und des priesterlichen Elementes zu Ende. Doch das Judentum als Volk und Religion überstand auch diesen Schlag. Neben dem Tempel von Jerusalem hatte es bereits im ganzen Land wie in der Diaspora Synagogen für Lehre und Gebet gegeben. Seit dem Jahr 70 n. Chr. war nur mehr der Synagogengottesdienst möglich. Anstelle der blutigen Opfer traten die Schriftlesung, Auslegung, Gebet und Liebestätigkeit. Die Religionsparteien der Sadduzäer und Essener überlebten die Katastrophe nicht; nur die Pharisäer, die von nun an richtungsweisend für das Judentum werden sollten.
Schon im 1. Jh. v. Chr. erreichte die rabbinische Schriftgelehrsamkeit einen Höhepunkt in den Schulen des Rabbi Hillel und Rabbi Schammai. Ein Schüler Hillels, Rabbi Gamaliel, war Lehrer des Apostels Paulus. Einem Schüler Hillels, Rabbi Jochanan ben Zakkai, gelang es, aus dem belagerten Jerusalem zu fliehen. Die Römer gestatteten ihm, in Jamnia ein Lehrhaus zu errichten, das bis ins 2. Jh. n. Chr. hinein geistiges Zentrum des Judentums war. Hier konstituierte sich das Synedrion neu, nun

ausschließlich aus pharisäischen Schriftgelehrten. Die Hauptaufgabe der jüdischen Gelehrten von Jamnia bestand in der autoritativen Auslegung der Heiligen Schrift. Gegen Ende des 1. Jhs. n. Chr. wurde in Jamnia auch der bisher gültige Konsonantentext der Bibel bestätigt und der Kanon festgelegt. Nur Bücher, die in hebräischer Sprache geschrieben waren, zählte man zur Heiligen Schrift! Die Septuaginta verlor damit für das Judentum ihre Bedeutung. Diese Abgrenzung der Heiligen Schrift auf die hebräischen Bücher kann auch bereits damit in Zusammenhang stehen, daß die jungen Christengemeinden vornehmlich die Septuaginta benutzten und daher die Maßnahmen zu Jamnia auch als Abgrenzung gegenüber dem Christentum zu verstehen sind.

HERODES UND SEINE NACHKOMMEN (UNVOLLSTÄNDIG)

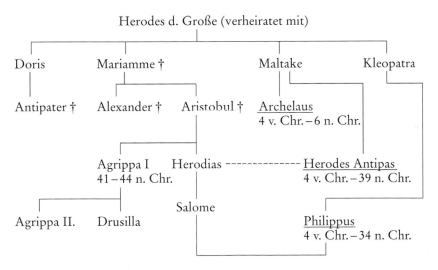

† = von Herodes hingerichtet

—— = unmittelbare Nachfolger des Herodes

---- = spätere Herrscher

Coponius (6−9 n. Chr.)
M. Ambibulus (9−12 n. Chr.)
Annius Rufus (12−15 n. Chr.)
Valerius Gratus (15−26 n. Chr.)
Pontius Pilatus (26−36 n. Chr.)
Marcellus (36−37 n. Chr.)
Cuspius Fadus (41−46 n. Chr.)
Tiberius Alexander (46−48 n. Chr.)
Ventidius Cumanus (48−52 n. Chr.)
Antonius Felix (52−60 n. Chr.)
Porcius Festus (60−62 n. Chr.)
Albinus (62−64 n. Chr.)
Gessius Florus (64−66 n. Chr.)

2. DIE ENTSTEHUNG DES CHRISTENTUMS
(Abb. 53)

Jesus von Nazaret wurde etwa 7 vor unserer Zeitrechnung geboren, also noch in der Regierungszeit König Herodes' des Großen (unsere Zeitrechnung basiert auf einem Rechenfehler, der auf den Mönch Dionysius Exiguus zurückgeht). Die Evangelisten Matthäus und Lukas nennen die Davidstadt Betlehem in Juda als seinen Geburtsort. Dies hat jedoch primär theologische Gründe. Betlehem ist die Stadt, in der die davidische Dynastie ihren Anfang nahm (1 Sam 16,1) und in der sie in messianischer Zeit erneuert werden sollte (Mich 5,1). Die Evangelisten wollen damit ausdrücken, daß Jesus der messianische Sohn Davids ist. Theologisch ist daher Betlehem der Geburtsort Jesus', historisch wahrscheinlich Nazaret. Aufgewachsen ist Jesus jedenfalls in Nazaret bei seiner Mutter Maria und »seinem Vater« Josef. Aus dieser Zeit berichten die Quellen nichts. Mit Vorsicht läßt sich soviel sagen: Die Familie Jesus' war nicht einflußreich, sondern eine gläubige, arme jüdische Familie. Jesus lernte höchstwahrscheinlich das Zimmermannshandwerk Josefs. In der Synagoge kann er den Umgang mit der Bibel sowie Lesen und Schreiben gelernt haben. Etwa im Jahre 28/29 n. Chr. schloß sich Jesus wie viele andere seiner Zeitgenossen der Wanderung nach Süden an, um sich von Johannes dem Täufer im Jordan taufen zu lassen. Johannes rief zur

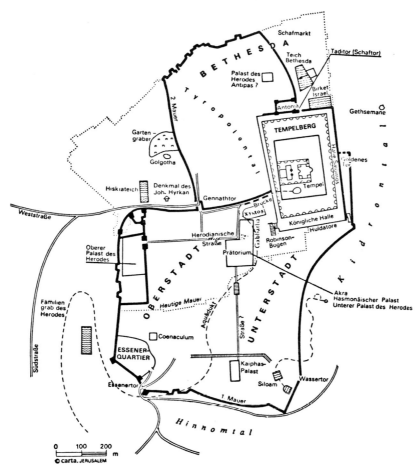

Abb. 53   Jerusalem zur Zeit Jesu (B. Pixner, ZDPV 95 [1979], S. 59, Abb. 1)

Umkehr des Menschen auf. Die Taufstelle nahe der Mündung des Jordan ins Tote Meer liegt nicht weit von Qumran, dem Zentrum der Essener, und man hat in Johannes einen Angehörigen dieser Sekte gesehen. Doch Johannes verstand sich nicht zu den »Söhnen des Lichtes« gesandt, sondern zu ganz Israel. Er ist sicher kein Essener gewesen, wenngleich er Verbindungen zu Qumran gehabt haben kann, vielleicht auch dort erzogen worden ist. Mit der Zeit hatte sich Johannes jedenfalls von den Grundsätzen dieser elitären Gemeinschaft getrennt.

Die Taufe durch Johannes ist entscheidend für das weitere Selbstverständnis Jesus'. Er beginnt in Galiläa rund um den See Genezaret eine Predigttätigkeit und sammelt Schüler um sich. Das Reich Gottes ist nahe (Mt 4,17) und in Jesus selber bereits Wirklichkeit (Luk 11,20). In seiner Predigt bedient sich Jesus wie die Pharisäer des Gleichnisses. Sein Wirken wird begleitet von Wundern wie Krankenheilungen u. a. Das Wunder entzieht sich zwar im eigentlichen Sinn der historischen Überprüfbarkeit, doch wäre es grotesk, von der Sicht des 20. Jhs. her die Wundertätigkeit Jesus' zu leugnen. Bei seinem öffentlichen Auftreten hatte es Jesus durchweg mit den Pharisäern zu tun, die als die damaligen Lehrer des Volkes natürlich höchst interessiert an dem neuen Wanderprediger waren. Die Auseinandersetzung mit den Pharisäern ist oft scharf, und es scheint auch, als habe Jesus manchen stockkonservativen Dorfpharisäer bewußt gereizt. Doch sollte man dabei nicht übersehen, daß die Evangelien, die nach 70 n. Chr. entstanden sind, als das Judentum nur mehr aus pharisäischen Gegnern bestand, die Gegensätze verschärft haben. Für den historischen Jesus waren die Pharisäer die theologischen Gesprächspartner schlechthin, und die Zeugnisse der rabbinischen Literatur zeigen, daß die Pharisäer in vielen Punkten ähnlich wie Jesus gedacht haben. Jesus war aber radikaler als sie, vielleicht auch weltfremder. Dem Doppelgebot der Liebe zu Gott und zum Nächsten als dem Zentrum der Tora stellt er das Gebot der Feindesliebe hinzu (Mt 22,35−40). Auch für die Pharisäer galt das Liebesgebot als Zentrum der Tora; aber sie waren Realisten, die das Liebesgebot nicht bis zur Feindesliebe radikalisierten.

Die öffentliche Tätigkeit Jesus' dauerte nach den synoptischen Evangelien ein knappes Jahr, nach Johannes zwei Jahre. Vermutlich entspricht die Darstellung der Synoptiker eher der historischen Wirklichkeit.

Solange Jesus in Galiläa wirkte, waren seine Gegner vor allem Pharisäer, Theologen, und er hatte es mit einer geistigen Macht zu tun, die ihn zwar angriff, hart diskutierte und auch hart angegriffen wurde, jedoch nicht auf die physische Vernichtung Jesus' aus war. Völlig anders war die Situation in Jerusalem, wo es Jesus nicht mehr mit einer geistigen, diskutierenden Macht zu tun hatte, sondern mit dem realpolitisch denkenden Priesteradel, den Sadduzäern. Jesus ist jedoch konsequent den Weg nach Jerusalem gegangen, wohl schon in dem Bewußtsein, daß die Begegnung mit der Macht für ihn tödlich sein könnte. Den Auftakt zu dieser Auseinandersetzung provozierte Jesus mit einer prophetischen Demonstration im Tempel (Mk 11,15−19, Mt 21,12f., Luk 19,45−48, Jo 2,13−17). In Nachfolge der Propheten (Am 3,13−15. 9,10−17,

Jer 7,1−15) schritt Jesus gegen die Entweihung des Heiligtums ein. Der sadduzäische Priesteradel mußte diese Demonstration im Sinne des messianischen Führungsanspruches Jesus' deuten und sah sich in seinen ureigensten Interessen gefährdet. Wäre Jesus mit seiner Demonstration allein gewesen, dann hätte man allerdings solche Befürchtungen kaum gehabt. Doch die Opposition gegen den Tempel war groß. Die Essener erhoben eine ähnliche Kritik: Gott wohne nicht mehr im Tempel, er sei entweiht und werde von unwürdigen Priestern verwaltet. In dieser gespannten Lage vertrug man offenbar kein Mehr an Kritik und betrieb daher sofort die Verhaftung des galiläischen Wanderpredigers. Die Katastrophe nahm nun ihren Lauf. Jesus wurde in der Nacht des 13. Nisan − wahrscheinlich des Jahres 30 n. Chr. − am Ölberg verhaftet und dem Hohen Rat vorgeführt. In Mk 14,55−65 ist im wesentlichen das Verhör festgehalten. Die Zeugenaussagen waren so dürftig, daß es kaum Ansatzpunkte für eine Verurteilung geben konnte. Doch in der Frage nach dem Tempelzerstörungswort gab es einen Ansatzpunkt. Jetzt war das Interesse der Tempelbehörde groß. Es ist jedoch falsch, Jesus' Ankündigung der Tempelzerstörung so zu deuten, als sei er ein Revolutionär gegen Rom wie die Zeloten gewesen. Auch der pharisäische Rabbi Jochanan ben Zakkai hatte ein ähnliches Wort der Tempelzerstörung gesprochen, und dieser hatte für die Aufständischen überhaupt kein Interesse und ging sogar während der Belagerung Jerusalems im Jahre 70 n. Chr. heimlich zu den Römern über! Zu all den Beschuldigungen gab Jesus keinen Kommentar, und der Hohepriester sah sich gezwungen, sollte das ganze Verhör nicht im Sand verlaufen, die entscheidende Frage zu stellen: »Bist du der Messias, der Sohn des Hochgelobten?« Jesus antwortete bejahend mit einer Zitatenkomposition aus Dan 7,13 und Ps 110,1. Diese Frage des Hohenpriesters und die bejahende Antwort Jesu sind durchaus historisch zu verstehen. Aber damit hatte Jesus sein Todesurteil gesprochen. Für das Synedrion war der Fall entschieden: Jesus mußte hingerichtet werden. Der Hohe Rat hatte jedoch keine Befugnis, ein Todesurteil zu fällen und zu vollstrecken. Kapitalprozesse waren Sache des römischen Präfekten. Aber selbst ein Pilatus hätte eine diesbezügliche Messiasanklage sofort abgewiesen. Die Anklage mußte daher für den Römer verständlich formuliert werden als politische Messiasanklage im Sinne von König der Juden. Auf diese Anklage hin wurde Jesus von Pilatus zum Kreuzestod verurteilt. Das Urteil wurde am Freitag, den 14. Nisan des Jahres 30 n. Chr., vollstreckt. Das sogenannte Prätorium des Pilatus befand sich wahrscheinlich in seiner Jerusalemer Hauptresidenz, dem alten Hasmonäerpalast

(Abb. 53). Die Kreuzigung wurde in Golgota, das damals außerhalb der Jerusalemer Stadtmauern lag, vollzogen.

Mit dem Tod Jesus' schien für seine Jünger jegliche Hoffnung begraben zu sein. Doch die Jünger Jesus' bezeugen in verschiedenen Varianten, daß ihnen Jesus nach seinem Tod wiederholt begegnet sei, und sie sprachen von seiner Auferstehung.

Auferstehung jedoch kannte das damalige Judentum nur im kollektiven Sinn, und zwar am Ende der Zeit! Eine individuelle Auferstehung, noch dazu die Endzeit vorwegnehmend, war dem Judentum völlig fremd. Wenn also die Jünger Jesu von seiner Auferstehung sprachen, so mußten sie dafür konkrete Anstöße haben, die nur die Erscheinungen Jesus' nach seinem Tod gegeben haben können. Bei den Erscheinungen mußten die Jünger Jesus auch körperlich wahrgenommen haben. Nur so konnte man im Sinne der damaligen Anthropologie von Auferstehung reden. Die Frage nach dem leeren Grab spielt eine eher sekundäre Rolle. Man kann theologisch auch von Auferstehung sprechen ohne das leere Grab. Doch da das leere Grab nicht einmal von den Juden selber geleugnet wurde und es im damaligen Verständnis der Auferstehung notwendig ist, ist die Leerheit des Grabes Jesu geschichtlich zu verstehen.

Die älteste Verkündigung der Jerusalemer Urgemeinde über die Auferstehung Jesus' ist in 1 Kor 15,3−5 erhalten. Mit der Formulierung der Auferweckung am dritten Tag will jedoch nicht das Datum festgelegt werden, sondern wird ausgesagt, daß JHWH dem Gerechten so schnell als möglich zu Hilfe kommt. Im heutigen theologischen Verständnis können wir sagen, daß das, was die Jerusalemer Urgemeinde mit Auferstehung, Himmelfahrt und Geistaussendung ausdrückt und zeitlich auseinanderfaltet, sich bereits im Hinscheiden Jesus' am Kreuz vollzogen hatte. Die Auseinanderfaltung ist jedoch nicht etwa schon liturgisch bedingt, sondern spiegelt die realen Erfahrungen der Jünger mit dem Auferstandenen wider. Und diese Erfahrungen konnten für den damaligen Menschen in Palästina gemäß seinem Weltbild, seinen theologischen und anthropologischen Voraussetzungen von Gott her nur so gegeben werden.

Es stellt sich die Frage, ob vom Auferstehungsglauben der Jünger her aus dem historischen Jesus von Nazaret der Christus des Glaubens wurde? Diese Frage ist mit JA und mit NEIN zu beantworten. Ja, weil die Urgemeinde im Lichte der Auferstehung den historischen Jesus erst richtig verstand und seinen Anspruch als Sohn Gottes artikulieren konnte, nein, weil gerade der Begriff Auferstehung die Identiät zwischen irdischem und erhöhtem Herrn ausdrückt!

Der historische Jesus hat sich — wie sein Verhör vor dem Hohen Rat zeigt — zumindest in der letzten Phase seiner öffentlichen Tätigkeit als Messias verstanden. Als Messias erwartete das Judentum den Sohn Davids. In der essenischen Gemeinde von Qumran ist auch die Vorstellung eines priesterlichen Messias belegt, der dem davidischen Messias übergeordnet ist. Aber erst im Hebräerbrief versucht die christliche Gemeinde den Aspekt des priesterlichen Messias in Jesus zu integrieren (Hebr 7,14—16).

Sohn Davids war aber gleichbedeutend mit Sohn Gottes. In der Jerusalemer Königsideologie der Davididen wurde jeder König Judas bei der Inthronisation »Sohn Gottes« (Ps 2 und 110). Die messianische Selbstprädikation Jesus' impliziert also die Aussage »Sohn Gottes«. Der strenge jüdische Monotheismus, wie er zur Zeit Jesu voll vorhanden war, verbietet jedoch, »Sohn Gottes« bereits im späteren christlich-dogmatischen Sinn zu verstehen. D. h., der historische Jesus kann sich nicht als dem Vater in seiner Gottheit wesensgleich verstanden haben, wohl aber schon die Evangelisten. Sie haben aber diese Interpretation nicht etwa erfunden, sondern Jesus durch das Ostergeschehen gedeutet. Die Urkirche erkannte im Geist, daß dieser Jesus von Nazaret nicht bloß ein Mensch war, sondern das ewige, menschgewordene Wort des Vaters (Jo 1).

Wir haben mit diesen Überlegungen natürlich den Boden der beweisbaren Geschichte verlassen, aber zum Verständnis des Christentums sind diese Ausführungen nötig, gleichgültig ob einer gläubiger Christ ist oder nicht.

Nach dem Heimgang Jesus' zum Vater konstituierte sich in Jerusalem die erste christliche Gemeinde. Jesus hatte seinen Jüngern keine Rezepte hinterlassen, wie es ohne seine sichtbare Gegenwart weitergehen solle. Er hat keine fix und fertige Kirche mit einer hierarchischen Verfassung gegründet. All das, was in einer religiösen Gemeinschaft an Struktur notwendig war, mußte sich erst allmählich finden. Kernpunkte der Urgemeinde von Jerusalem waren das Brotbrechen im Andenken an Jesus' letztes Mahl mit den Seinen und der tätige Liebesdienst sowie ein möglichst breites Gemeinschaftsleben.

Sie beobachteten weiter das jüdische Gesetz und nahmen am Tempelkult teil. Doch der Glaube an Jesus Christus brachte sie bald in Gegensatz zum Judentum. 32/33 n. Chr. erlitt Stephanus als erster den Märtyrertod durch Steinigung. Einer der heftigsten Gegner des jungen Christentums, Saulus, ein Schüler Rabbi Gamaliels, wurde zwischen 33 und 36 n. Chr. Christ und trug das Evangelium bis an die Grenzen der damaligen Welt. 42/43 n. Chr. wurde unter Agrippa I. Jakobus der Ältere hingerichtet, 62/63 n. Chr. wurde Jakobus der Jüngere gesteinigt.

Sehr früh mußte die Jerusalemer Urgemeinde erkennen, daß die Juden Palästinas in der großen Mehrheit Jesus ablehnten, dagegen Diasporajuden und Heiden dem Christentum zuströmten. Christliche Gemeinden entstanden vor allem dort in Palästina, wo der jüdische Einfluß gering war, so im Gebiet Samarias (Apg 8,4—25), an der Küste in Lydda und Joppe (Apg 9,32—43) und in Cäsarea am Meer (Apg 10,1—8).

Auf dem Apostelkonzil in Jerusalem im Jahre 50 n. Chr. fiel dann eine folgenschwere Entscheidung: daß die Heidenchristen grundsätzlich vom jüdischen Gesetz frei sein sollten (Apg 15,6 ff. 19). Während es in den Metropolen des Römischen Reiches bereits große christliche Gemeinden gab, blieben die Jerusalemer Urgemeinde und andere palästinische Gemeinden in bescheidenem Rahmen. Vor dem ersten jüdischen Aufstand gegen Rom zogen sich die Christen Jerusalems nach Pella ins Ostjordanland zurück und wurden deshalb von den Juden als Verräter gebrandmarkt. Etwa um 100 n. Chr. war die Trennung zwischen Synagoge und Christen in Palästina endgültig.

Im Zentrum der rabbinischen Gelehrsamkeit zwischen 70 und 133 n. Chr., in Jamnia, wurde das jüdische Achtzehngebet von Rabbi Samuel dem Kleinen um den Fluch gegen Christen und andere Häretiker erweitert:

Nazarener (Christen) und Abtrünnige mögen plötzlich vergehen, sie seien getilgt aus dem Buch der Lebendigen ... gepriesen seist DU JHWH, der die Frechen beugt. (bBer 28 b)

3. DER ZWEITE JÜDISCHE AUFSTAND UND DIE WEITERE ENTWICKLUNG

Die blutige Niederwerfung des ersten jüdischen Aufstandes durch die Römer konnte die Ideen und Hoffnungen des Judentums nicht brechen. Die Erwartung des endzeitlichen Messias erhielt neuen Auftrieb. Unter Kaiser Trajan (98—117 n. Chr.) kam es in der jüdischen Diaspora zu neuerlichen Aufständen, die von den Römern jedoch blutig niedergeschlagen wurden. Der Feldherr L. Quietus, der die Aufständischen in Mesopotamien besiegt hatte, wurde neuer Statthalter in Judäa. 130/31 n. Chr. besuchte Kaiser Hadrian u. a. auch Palästina. Er plante den Bau eines Jupiterheiligtums auf dem Platz des früheren herodianischen Tempels und verbot den Juden die Beschneidung.

Daraufhin brach 132 n. Chr. der 2. jüdische Aufstand los, der unter der Führung des Simon bar Kosba stand. Rabbi Akiba gab ihm den Ehrennamen Bar Kochba (Sternensohn) und hielt ihn für den Messiaskönig. Bar Kochba gelang die Besetzung Jerusalems und hatte bald die Kontrolle über Judäa. Als Zeichen der neuen Zeit ließ er auch Münzen mit althebräischer Schrift prägen (Abb. 54). Aus seinen Briefen ersehen wir,

Abb. 54   Bronzemünze, 133/134 n. Chr. aus der Zeit des Bar-Kochba Aufstandes gegen Rom. Auf der Vorderseite liest man »Jerusalem«, auf der Rückseite »J(ahr) 2 der Frei(heit) Israels«. (K. Jaroš, Hundert Inschriften, Nr. 96)

daß er sofort daran ging, eine straffe jüdische Verwaltung in Judäa aufzubauen. Der römische Statthalter T. Rufus wurde der Lage nicht Herr und forderte von der Provinz Syrien Truppenverstärkungen an, was allerdings auch nichts nützte. 134 n. Chr. erhielt S. Julius Severus den Auftrag, den Aufstand niederzuwerfen. Severus vermied offene Feldschlachten und hungerte die Aufständischen in ihren Widerstandsnestern aus. Um 135 n. Chr. fiel die letzte Bastion 10 km westlich von Jerusalem, wo sich Bar Kochba mit den Resten der Aufständischen erbittert verteidigt hatte. Bar Kochba fiel. Rabbi Akiba wurde von den Römern hingerichtet. Die Überlebenden verkauften die Römer als Sklaven. Hadrian löschte den Namen Jerusalem aus und nannte die Stadt Aelia Capitolina (Abb. 55). Auf dem Tempelplatz wurde ein Juppiterheiligtum errichtet und am Gelände der heutigen Grabeskirche ein Venustempel. Den Juden wurde unter Todesstrafe das Betreten Jerusalems verboten. Nur am Jahrestag der Tempelzerstörung durften sie kommen, um ihr Unglück zu beklagen. Die Provinz Judäa erhielt den neuen Namen Philistäa. Von den kaiserlichen Maßnahmen waren auch die Judenchristen betroffen. Es scheint, daß nach 135 n. Chr. in Jerusalem keine judenchristliche Gemeinde mehr existiert hat.

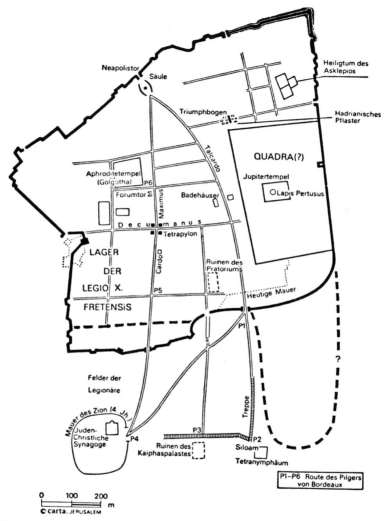

Abb. 55 Das Hadrianische Jerusalem, Aelia Capitolina, 135–330/40 n.Chr.
(B. Pixner, ZDPV 95 [1979], S. 65, Abb. 3)

156

Die jüdische Bevölkerung war nach 135 n. Chr. nur mehr eine verschwindende Minderheit. Dadurch war auch Jamnia als Zentrum der rabbinischen Gelehrsamkeit und oberste religiöse Instanz nicht mehr geeignet. Das geistige Zentrum des Judentums verlagerte sich daher nach Galiläa. In Uscha gelang es, eine neue rabbinische Schule und das Synedrion zu installieren. Zum (jüdischen) Patriarchen wurde Simeon gewählt. Unter Rabbi Jehuda ha-Nasi übersiedelte das Synedrion nach Bet Schearim. In Uscha und Bet Schearim kam es zur Kodifizierung des Religionsgesetzes. Der Grundstein dazu wurde aber bereits in Jamnia gelegt. In Sephoris kam es zur endgültigen, schriftlichen Fixierung der Mischna, etwa Anfang des 3. Jhs. n. Chr. Die Mischna ist Diskussion der gelehrten Rabbinen über kultisch-rituelle Vorschriften und Rechtssätze der Bibel. Mischna und hebräische Bibel sind von nun an die beiden Grundpfeiler des Judentums.

Anfang des 3. Jhs. n. Chr. setzte in Judäa und Samaria eine reiche römische Bautätigkeit ein, was zur Folge hatte, daß die nichtjüdische Bevölkerung weiterhin zunahm. In Galiläa bleiben allerdings die Juden weiterhin in der Mehrheit. Jüdisches Zentrum wurde nun Tiberias. Die schlechte wirtschaftliche Lage des Römischen Reiches machte sich nun auch bei der jüdischen Bevölkerung Galiläas bemerkbar. Erst unter Kaiser Diokletian (284−305 n. Chr.) trat wieder eine Stabilisierung ein. Diokletian selber besuchte Palästina in den Jahren 286 und 297 n. Chr. Bei der unter ihm durchgeführten Verwaltungsreform wurden auch die Grenzen Palästinas geändert. Im Norden wurden Gebiete abgetrennt, während im Süden Gebiete der Provincia Arabia zu Palästina geschlagen wurden.

Die Judenchristen Palästinas haben sich am Bar Kochba Aufstand nicht beteiligt und hatten daher in den Jahren 132−135 n. Chr. viel Übles zu erdulden. Schon 135 n. Chr. entstand in Aelia Capitolina (Jerusalem) eine heidenchristliche Gemeinde unter Bischof Markos. Weitere christliche Zentren waren Cäsarea und Skythopolis (Bet Schean). In Cäsarea lebte in der ersten Hälfte des 3. Jhs. n. Chr. einer der bedeutendsten Theologen des Altertums: Origenes. Er veröffentlichte u. a. die erste kritische Ausgabe der hebräischen Bibel, die sogenannte Hexapla, in der sechs Textkolumnen nebeneinandergestellt wurden: der hebräische Text, der hebräische Text in griechischer Umschrift und vier damals bekannte griechische Übersetzungen, darunter die Septuaginta. Die Hexapla umfaßte 50 Bände mit 6000 Blättern.

Eusebius erlebte als Bischof von Cäsarea den Aufstieg der Kirche unter Konstantin (306−337 n. Chr.) und wurde später Biograph des Kaisers.

Das Verhältnis zwischen Juden und Christen war in der Zeit zwischen 135 bis zu Kaiser Konstantin relativ gut und ruhig, wenngleich der Bruch zwischen Kirche und Synagoge unüberbrückbar geworden war. Justin, ein Heidenchrist aus Neapolis in Mittelpalästina, schrieb z. B. in seinem um 155/161 n. Chr. entstandenen »Dialog mit dem Juden Tryphon« (29,2): »Eure Schriften, oder eher nicht eure, sondern unsere: denn wir gehorchen ihnen, während ihr sie zwar lest, doch ihren Geist nicht erfaßt.« Dieses Beispiel kann die Haltung der Christen den Juden gegenüber charakterisieren: es gab ernste und entscheidende Vorbehalte, aber zu einer gegenseitigen Verteufelung ist es nicht gekommen.

4. DAS NABATÄISCHE REICH
(Abb. 56)

Die Nabatäer waren ursprünglich ein Nomadenvolk aus Arabien. Im Jahre 312 v. Chr. treten sie zum erstenmal historisch belegbar in Erscheinung, obwohl sie bereits Ende des 5. Jhs. v. Chr. die Gebiete der Südwüste, des Wadi Araba bis Petra bevölkert haben dürften, also im großen und ganzen das Gebiet der früheren Edomiter. Ihre Sprache war ein arabisch-aramäischer Dialekt. Ihre Schrift ist wahrscheinlich Vorläuferin der späteren arabischen Schrift. Im Jahre 312 v. Chr. führte Antigonus, ein General Alexanders des Großen, zwei Expeditionen gegen die Nabatäer von Petra durch, und zwar als Vorbereitung für seine Bemühungen, Ägypten dem Ptolemäus zu entreißen. Die Nabatäer konnten beide Angriffe abwehren, erkauften sich aber durch Geschenke einen dauernden Frieden. Dann erfahren wir erst wieder 169/68 v. Chr. von den Nabatäern, als der hellenistisch gesinnte Jerusalemer Hohepriester Jason seinem Rivalen Menelaos unterliegt und auf seiner Flucht vom nabatäischen König Aretas I. gefangengenommen wird (2 Makk 5,8−10). Um 163 v. Chr. kommt es zu freundschaftlichen Beziehungen zwischen Nabatäern und Hasmonäern (Ant. XII 335−340), bedingt durch den gemeinsamen Feind, die Seleukiden. Das Verhältnis war jedoch durchaus auch spannungsreich (1 Makk 9,35−40, 2 Makk 12,10−12). Als das seleukidische Reich immer schwächer wurde, wuchs auch der Konfliktstoff zwischen Juden und Nabatäern. Der Hasmonäerkönig Alexander Jannäus (103−76 v. Chr.) eroberte das mit den Nabatäern verbündete Gaza, ohne daß es der Nabatäerkönig Aretas II. verhindern konnte. Doch bereits sein Nachfolger Obodas besiegte mit seinen Kamelreitern bei Gadara Alexander Jannäus.

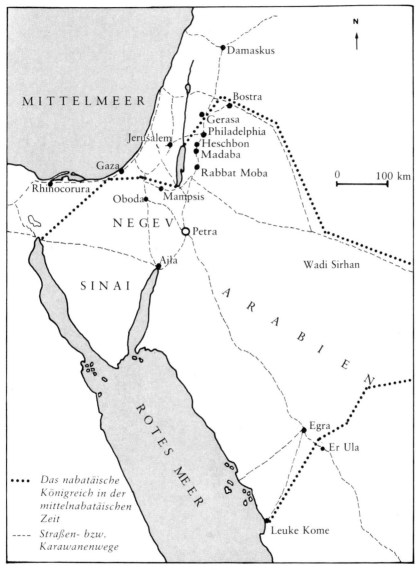

N

MITTELMEER

Damaskus

Bostra
Gerasa
Philadelphia
Jerusalem
Heschbon
Madaba
Gaza
Rabbat Moba
Rhinocorura
Oboda
Mampsis

0   100 km

NEGEV

Petra

Ajla

SINAI

Wadi Sirhan

A R A B I E N

R O T E S   M E E R

Egra
Er Ula

●●●● Das nabatäische
     Königreich in der
     mittelnabatäischen
     Zeit
---- Straßen- bzw.
     Karawanenwege

Leuke Kome

Abb. 56

159

Mit König Aretas III. (87–62 v. Chr.) begann eine erste Blütezeit der Nabatäer. Im Norden konnte er sein Gebiet bis nach Damaskus ausdehnen, wogegen er im Süden, im moabitischen Gebiet, zwölf Städte an die Hasmonäer verlor. König Aretas III. versuchte auch in den Streit zwischen den Hasmonäern Aristobul II. und Hyrkan II. einzugreifen. Der Ratgeber Hyrkans, Antipater, war mit der Nabatäerin Kypron verheiratet. Aus dieser Ehe gingen Phasael, Herodes der Große und Salome hervor. Antipater riet Hyrkan, sich an Aretas um Hilfe zu wenden. Nachdem dem Nabatäerkönig die Rückgabe der zwölf von Alexander Jannäus eroberten Städte zugesichert worden war, nahm er Marsch auf Jerusalem, schlug Aristobul und belagerte Jerusalem. Die römische Intervention zwang dann Aretas zum Abzug.

Im Jahre 56 v. Chr. wurde Malichus König. Als Herodes der Große vor den Parthern fliehen mußte, verweigerte ihm Malichus das Asyl und hielt auch den herodäischen Familienschatz zurück, den Antipater beim nabatäischen Hof aufbewahrt hatte. Durch diese unkluge Politik machte sich Malichus Herodes zum Todfeind. Herodes rächte sich im Jahre 31 v. Chr. Er schlug im Hauran die Nabatäer vernichtend, so daß dieses Gebiet für sie verloren war.

Unter König Obodas II. erlebte das Nabatäerreich seinen wirtschaftlichen Höhepunkt, der durch den Gewürzhandel mit Indien und Arabien bedingt war. Die Güter kamen per Schiff nach Leuke Kome, ein Hafen an der Ostküste des Roten Meeres, wurden mit Karawanen nach Petra und von dort nach Rhinocorura an die Mittelmeerküste gebracht. Der Handel war so bedeutend, daß Kaiser Augustus ihn unter seiner Kontrolle haben wollte. Doch eine römische Expedition scheiterte u. a. an der Wasserarmut Arabiens. Doch mit der Zeit änderte sich die Lage zugunsten der Römer insofern, als sich die Seeroute änderte und, wie Strabo für das Jahr 20 n. Chr. bezeugt, die Güter auf dem Nil bis Alexandria transportiert wurden. Dadurch bedingt begann auch der langsame Verfall des Nabatäerreiches. Im Jahre 9 v. Chr. wurde König Obodas III. durch Gift ermordet, das ihm ein Abgesandter seines früheren Kanzlers Sylaios gegeben hatte. Der nächste König Aeneas war von nichtköniglicher Abstammung. Er gab sich den Namen Aretas IV. Unter ihm erlebte die nabatäische Kunst einen großen Aufschwung. Archäologisch spricht man in dieser Periode von der mittelnabatäischen Zeit, die vom Ende des 1. Jhs. v. Chr. bis zur Mitte des 2. Jhs. n. Chr. dauerte. Aus der Zeit Aretas' IV. stammen die meisten nabatäischen Inschriften, die u. a. auch die große Bautätigkeit des Königs bezeugen. Unter König Malichus II. gab es keine großen Veränderungen. Die Zeit des politischen Höhepunkts war bereits überschritten. Unter König Rabel II. verlor das Reich seine arabischen Gebiete. Erst in dieser Zeit scheinen die Nabatäer Ackerbau in größerem Umfang betrieben zu haben. Nach dem Tod Rabels II. im Jahre 106 n. Chr. wurde das Nabatäerreich als Provincia Arabia dem Römischen Imperium einverleibt. Die ehemalige Hauptstadt Petra wurde zuerst Provinzhauptstadt, später dann das günstig gelegenere Bosra, wo die Legio III Cyrenaica stationiert war. Trotz römischer Herrschaft erlebte die nabatäische Kultur noch eine lange Periode im 2. und 3. Jh. n. Chr.

In byzantinischer Zeit gingen die Nabatäer immer mehr in ihren Nachbarvölkern auf. Nur in gewissen Eigenheiten der Architektur kann man den nabatäischen Einfluß auch später noch finden.

Kontakte mit dem Christentum hat es schon sehr früh gegeben. Nach Gal 1,17 ging Paulus nach seiner Bekehrung nach Arabien, d. h. zu den Nabatäern. Aus dem Jahre 69 n. Chr. ist der Grabstein eines gewissen Proculus, eines nabatäischen Christen aus Philadelphia (Amman), erhalten, der als Unteroffizier der zweiten italischen Kohorte, die fest in Cäsarea stationiert war, kurzfristig nach Carnuntum an der Donau (Österreich) verlegt wurde. Dieser Truppe gehörte z. B. auch der Hauptmann Cornelius an, den Petrus als ersten Heiden taufte (Apg 10,1).

Die eigentliche Christianisierung setzte erst in byzantinischer Zeit ein. Nach dem Konzil von Nikaia (325 n. Chr.) scheinen auf den Konzilien und Synoden auch die Bischöfe von Petra auf.

KÖNIGE: Aretas I. (um 169 v. Chr.)
Aretas II. (ca. 120–96 v. Chr.)
Obodas I. (96–87 v. Chr.)
Rabel I. (um 87 v. Chr.)
Aretas III. (87–62 v. Chr.)
Obodas II. (62–56 oder 47 v. Chr.)
Malichus I. (56 oder 47–30 v. Chr.)
Obodas III. (30–9 v. Chr.)
Aretas IV. (9 v. Chr.–40 n. Chr.)
Malichus II. (40–71 n. Chr.)
Rabel II. (71–106 n. Chr.)

VIII. Palästina unter der Herrschaft Byzanz'

(324–640 n. Chr. Abb. 57)

Im Jahre 324 n. Chr. konnte Kaiser Konstantin seinen Rivalen Licinius im Orient besiegen und wurde dadurch auch Herr Palästinas. Auf dem Konzil von Nikaia 325 n. Chr. interessierten sich Konstantin und seine Mutter Helena sehr für die Berichte, die der Bischof von Jerusalem, Makarios, gab. Kurz darauf besuchte Helena Palästina.

Unter Konstantin wurde das Christentum die führende Religion des Imperiums, was u. a. zur Folge hatte, daß Palästina als Heimat Jesu ungeheuer an Bedeutung gewann. Palästina wurde zum »Heiligen Land«, Jerusalem zu einer christlichen Stadt. Die Auferstehungskirche, viele andere Kirchen, Herbergen und Krankenhäuser entstanden, um die Pilgermassen aufnehmen zu können. Der wirtschaftliche Aufschwung bewirkte eine große kulturelle Blüte. Die Städte und Orte verdreifachten etwa ihre Einwohnerzahl, das Land wurde durch Acker- und Gartenbau kultiviert, das Straßensystem erneuert und ausgebaut, die Wasserversorgung durch die zahlreichen Aquädukte gewährleistet. Die byzantinische Zeit kann in der gesamten Geschichte des Landes als die Zeit der größten Blüte gelten.

Anfang des 5. Jhs. n. Chr. wurde Palästina in drei Provinzen geteilt. Palaestina prima umfaßte Judäa, Samaria und Teile des Ostjordanlandes, Palaestina secunda Galiläa, Golan und Baschan, Palaestina tertia Negev, Nabatäa und Sinai.

Der Siegeszug des Christentums wurde kurz unterbrochen, als Kaiser Julian 361 n. Chr. an die Regierung kam. Er führte die alten heidnischen Kulte ein und beschloß auch den Wiederaufbau des Tempels von Jerusalem, was ihm verständlicherweise ungeheure Sympathien der Diaspora-Juden einbrachte. Aber ein Erdbeben unterbrach bereits den Beginn der Arbeiten, und nach Julians Tod wurde der Bau nicht weiter betrieben. Die Kaiser nach Julian waren bereits alle Christen.

Im 4. und 5. Jh. n. Chr. begann auch in größerem Ausmaß die monastische Lebensweise in den Wüsten Palästinas. Der hl. Chariton (+ 350 n. Chr.) gilt als der Begründer des Mönchtums in der Wüste Juda. Er schuf in Pharan eine Laura. Seine Schüler Euthymius und Theoktistos setzten diese Arbeit fort. Der hl. Sabas gründete um 483 n. Chr. das nach ihm benannte Kloster in der Wüste Juda. Von hier aus gründete er drei Lauren und fünf Klöster. Etwa zur selben Zeit gründete der hl. Theodosius das nach ihm benannte Kloster Mar Dosi.

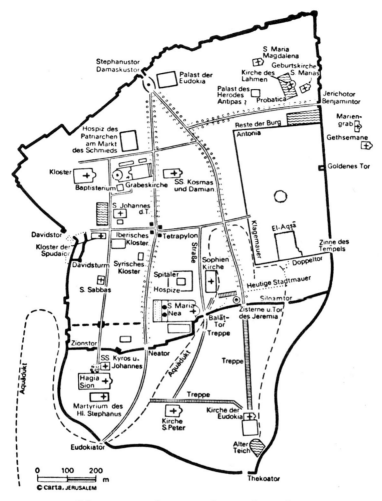

Abb. 57   Jerusalem im 6. bis 10. Jh. n. Chr.
(B. Pixner, ZDPV 95 [1979], S. 69, Abb. 4)

Der rein materielle Aufschwung des Christentums kann auch daraus
ersehen werden, daß es in kleinen Städten und Orten meistens mehrere
Kirchen gab. Ein besonderes Charakteristikum byzantinischer Kirchen
sind die Mosaiken. Bis in die Mitte des 5. Jhs. n. Chr. scheute man sich,
figürliche Darstellungen anzufertigen (Bilderverbot)!). Danach setzte

jedoch eine Liberalisierung ein, und die Künstler begannen auch Menschen und Tiere darzustellen, wie z. B. die Kirche von Tabga am See Genezaret zeigt. 427 n. Chr. verbot Kaiser Theodosius II. die Abbildung religiöser Motive auf den Fußböden. Die Qualität der Mosaiken Palästinas läßt die Fachleute sogar annehmen, daß es im Heiligen Land in Madaba eine der drei großen Mosaikschulen des Byzantinischen Reiches gegeben habe.

In Ermangelung einer einheitlichen lateinischen Bibelübersetzung gab Papst Damasus I. (366–384 n. Chr.) Hieronymus den Auftrag zu einer Neuübersetzung. Hieronymus war durch seine Kenntnis der hebräischen Sprache dazu besonders befähigt. Die ersten Vorarbeiten leistete er noch in Rom, eine von ihm selbst als »flüchtig« bezeichnete Bearbeitung des Psalters nach der Septuaginta (Psalterium Romanum). Ab 386 n. Chr. arbeitete Hieronymus in Palästina. Aufgrund der Hexapla des Origenes in Cäsarea schuf er eine weitere Übersetzung des Psalters (Psalterium Gallicanum), und von 390–405 n. Chr. entstand die neue Übersetzung aus dem hebräischen Text (Vulgata). Im Gegensatz zur herrschenden Ansicht der Kirche vertrat Hieronymus die Auffassung, daß der Kanon der Heiligen Schriften des Alten Testamentes auf die hebräische Bibel zu beschränken sei, und lehnte daher den weiter gefaßten Kanon der Septuaginta ab. Unter dem Einfluß des hl. Hieronymus kamen viele vornehme Römer nach Palästina, wie z. B. Eudokia, die von ihrem Mann getrennte Gemahlin Theodosius’ II. Obwohl sie Christin war, trat sie oft zugunsten der Juden und Samaritaner ein. Sie konnte auch erreichen, daß Juden wieder in Jerusalem wohnen durften.

Die Benachteiligung der Juden Palästinas war jedoch sehr groß. Kein Jude durfte nach dem Jahre 404 n. Chr. in kaiserlichen Diensten tätig sein, und kurz darauf wurden sie überhaupt von staatlichen Ämtern ausgeschlossen. Der Militärdienst und der Besuch höherer Schulen war ihnen verwehrt. Der Übertritt zum Christentum wurde kaiserlich gefördert. Doch diese Maßnahme hatte nicht viel Erfolg. 415 n. Chr. wurde der Neubau von Synagogen untersagt. Selbst die Renovierung schon bestehender Synagogen war verboten. Christliche Mönche gingen eifrig daran, Synagogen zu zerstören, wie z. B. Barsauma, so daß ein Gesetz des Jahres 423 n. Chr. die bestehenden Synagogen schützen mußte.

Trotz dieser Verbote wurden in Palästina aber auch zahlreiche Synagogen gebaut und mit herrlichen Mosaiken ausgelegt. Auch in den Synagogenmosaiken stellte man jetzt Menschen, Tiere und Pflanzen dar.

Die antijüdische Gesetzgebung der Byzantiner erreichte unter Kaiser Justinianus (527–565 n. Chr.) den Höhepunkt. Im Jahre 553 verbot der

Kaiser den Juden sogar den Unterricht in der Mischna und anderen über die Bibel hinausgehenden rabbinischen Traditionen. Mit dem Tod des jüdischen Patriarchen Gamaliel IV., 429 n. Chr., hörte das jüdische Patriarchat zu existieren auf, da die Byzantiner keinen Nachfolger ernannten. Doch unter der Leitung des Hauptes des tiberianischen Lehrhauses hatte das palästinische Judentum weiterhin ein Symbol seiner Einheit. Tiberias war das Zentrum des palästinischen Judentums geworden. Hier fand die Endredaktion (gegen Ende des 4. Jhs. n. Chr.) des »Jerusalemer Talmud« statt, der das ganze Gedankengut der palästinischen Rabbinen (Amoräer) nach der Mischna zusammenfaßt. Der Jerusalemer und palästinische Talmud erlangte allerdings nie die Bedeutung, die der Babylonische Talmud hatte. Die Gelehrten Tiberias' beschäftigten sich auch mit der buchstabengetreuen Überlieferung des hebräischen Textes der Bibel. Da die hebräische Sprache zu dieser Zeit schon Jahrhunderte nicht mehr im Alltag gesprochen wurde, war es auch notwendig geworden, die Aussprache des hebräischen Textes zu fixieren, da das Hebräische nur mit Konsonanten geschrieben wurde. Die Tiberianer erfanden für die Vokale Striche und Punkte und setzten sie über und unter die entsprechenden Konsonanten. Dieses System wird bis heute verwendet.

Von den antijüdischen Gesetzen waren auch die Samaritaner betroffen. 529 n. Chr. kam es zu einem großen Samaritaneraufstand in Neapolis, bei dem 20000 Samaritaner fielen und ca. 50000 vertrieben wurden. Der Aufstand erfaßte ganz Samaria. Die zerstörten Kirchen waren so zahlreich, daß Kaiser Justinianus ein regelrechtes Wiederaufbauprogramm in Angriff nahm. Einer der schönsten Bauten war die oktogonale Theotokoskirche auf dem Garizim, die wahrscheinlich Vorbild für den späteren arabischen Felsendom Jerusalems wurde. In Jerusalem ist die berühmte Nea-Kirche von Justinian vollendet worden.

Den Bischöfen von Jerusalem ist es im 5. und 6. Jh. n. Chr. immer mehr gelungen, ihren Einfluß zu verstärken. Im 4. Jh. war Jerusalem noch dem Metropoliten von Cäsarea unterstellt; aber der schlaue Bischof Juvenal von Jerusalem wußte dies zu ändern. Auf dem Konzil von Ephesus (431 n. Chr.) forderte Juvenal vom antiochenischen Patriarchen Gehorsam(!) und Unterwerfung(!) unter die apostolische Kirche von Jerusalem. Auf der sogenannten »Räubersynode« gelang es Juvenal, die Diözesen Palästinas, Phönikiens und Arabiens Jerusalem zu unterstellen. Beim Konzil von Chalzedon (451 n. Chr.) erreichte Juvenal schließlich, daß Palästina aus der Jurisdiktion des Patriarchen von Antiochien herausgenommen und die drei Metropoliten Palästinas (Caesarea, Skythopolis und Petra) Jerusalem unterstellt wurden. Jerusalem war damit neben Alexandria, Antiochien, Konstantinopel und Rom der fünfte Patriarchalsitz des Christentums.

Durch den kirchlichen Aufstieg erlebte Jerusalem eine weitere Blüte. Seine Bevölkerung betrug unter Justinian etwa 70 000–80 000 Menschen. An der Jerusalem-Vignette der Landkarte von Madaba, einem Fußbodenmosaik, ist noch die Pracht des byzantinischen Jerusalems zur Zeit Justinians abzulesen.

Doch diese Blüte sollte bald vergehen. Die persischen Sassaniden bedrohten zunehmend die Ostprovinzen Byzanz'. 611 n. Chr. fiel Antiochien, 613 Damaskus. Die meisten palästinischen Städte unterwarfen sich den Persern. Nur Jerusalem leistete Widerstand, wurde jedoch 614 n. Chr. gestürmt, seine Kirchen verwüstet und ca. 30 000 Menschen ermordet. Der Patriarch Zacharias wurde zusammen mit der Kreuzreliquie verschleppt. Zuerst gaben die Perser die Stadt den Juden, da diese die Perser unterstützt hatten. Doch als die Perser deren geringen Einfluß erkannten, stellten sie die Leitung der Stadt unter Abt Modestus vom Theodosius-Kloster.

In einem sechs Jahre dauernden Kampf gelang es jedoch dem byzantinischen Kaiser Heraklios, die Perser zum Frieden zu zwingen. Die palästinischen Provinzen kamen wieder zu Byzanz. Am 23. März 631 n. Chr. brachte der Kaiser in einem Triumphzug die Kreuzesreliquie zurück. Doch dieses Datum wurde der letzte große Tag des byzantinischen Jerusalem. Das Byzantinische Reich war durch die Perserkämpfe ausgelaugt und in eine finanzielle Krise geraten. Kaiser Heraklios mußte die Zahlungen an die Nomaden einstellen, die die Südgrenze Palästinas gegen die arabische Wüste hin schützten. Der kaiserliche Hof zu Byzanz wußte zu dieser Zeit noch nicht, was in Arabien unter Mohammed vor sich ging. Noch zu Lebzeiten Mohammeds drängten die Araber bis Elat vor. Kaiser Heraklios mußte tatenlos zusehen, wie 638 n. Chr. Jerusalem nach zweijähriger Belagerung fiel, nachdem die Araber das byzantinische Heer schon 636 n. Chr. am Jarmuk geschlagen und aufgerieben hatten.

IX. Die arabische Herrschaft
(638–1099 n. Chr.)

Um 632 n. Chr. unternahm der Prophet Mohammed einen Feldzug nach Norden und eroberte kampflos die Stadt Tabuk. Aus Respekt vor der byzantinischen Streitmacht ging Mohammed jedoch nicht weiter. Am 8. Juni 632 n. Chr. starb Mohammed. Sein Nachfolger, der erste Kalif Abu Bakr, begann bereits 633 ein Heer für die Eroberung Syrien–Palästinas und des Zweistromlandes aufzustellen. Schon 634 zog das arabische Heer in drei Abteilungen gegen Norden. Eine Abteilung unter General Amr ibn al-As marschierte über Elat nach Gaza und errang über die Byzantiner einen ersten Sieg. Die Byzantiner schätzten die Lage völlig falsch ein, da sie glaubten, es handle sich um die jährlich wiederkehrenden Beduineneinfälle. Doch der Sieg der Araber veranlaßte den Statthalter der Provinz Palaestina prima, den Weg zum Wadi Araba hin abzuschneiden. Dabei stieß er aber auf die zweite Abteilung des arabischen Heeres unter General Jazid ibn Abi Sufjan und wurde geschlagen. Kaiser Heraklios erkannte nun den Ernst der Lage und sandte eine gewaltige Streitmacht unter der Führung seines Bruders Theodorus nach Palästina. Dadurch kam der arabische Angriff ins Stocken. Die technische Überlegenheit der Byzantiner war eindeutig. Der Kalif gab nun Chalid ibn al-Walid den Oberbefehl über die gesamte arabische Streitmacht. Chalid hatte das Glück, daß sich die bedeutendste byzantinische Festung der syrischen Wüste, Basra, kampflos ergab. Bei Bet Gubrin südwestlich von Jerusalem stießen die Heere der Byzantiner und Araber aufeinander. Die Araber siegten. Damit war der Durchbruch gelungen. Palästinische Städte wie Tiberias, Skythopolis ergaben sich schnell, und schließlich fiel 635 n. Chr. Damaskus. 638 starb der erste Kalif, und es folgte als zweiter Kalif Omar ibn al-Chattab (634–644 n. Chr.). Kaiser Heraklios stellte inzwischen ein Entsatzheer auf, das jedoch am 20. August 636 n. Chr. am Jarmuk vernichtend geschlagen wurde. Dadurch war Syrien––Palästina für Byzanz verloren. Es ergaben sich alle Städte bis auf Cäsarea und Jerusalem. Cäsarea mußten die Araber vier Jahre lang belagern, bis die Stadt fiel. Sie nahmen dafür an der Bevölkerung blutige Rache. In Jerusalem leitete der Patriarch Sophronius die Verteidigung der Stadt. Als der Patriarch nach zweijähriger Belagerung sah, daß Byzanz keine Hilfe mehr schicken konnte, ergab er sich. Kalif Omar betrat 638

n. Chr. als erster Jerusalem und wurde vom Patriarchen durch die Stadt geführt.

Die Araber schlossen mit allen Städten, die sie erobert oder die sich ergeben hatten, Friedensverträge, die Leben, Freiheit und Ausübung der Religion für die Bevölkerung gewährleisteten. Jeder Bewohner mußte eine Kopfsteuer entrichten. Das Leben ging unter der arabischen Herrschaft normal weiter. Die Eroberer übernahmen z. B. den gesamten byzantinischen Beamtenapparat, und auch die Provinzeinteilung Palästinas blieb unter anderen Namen die gleiche. Eine größere arabische Bautätigkeit gab es am Anfang nicht. Sie setzte erst Ende des 7. Jhs. n. Chr. ein.

Aus den Wirren der innerarabischen Auseinandersetzung um das Kalifat ging 661 n. Chr. Muawija siegreich hervor und begründete die Dynastie der Omajjaden. Hauptstadt wurde Damaskus. Jerusalem nahm bald nach der arabischen Eroberung eine Sonderstellung ein und wurde nach Mekka und Medina drittheiligste Stadt des Islam. Ihr gängigster arabischer Name war al-Quds (die Heilige). Kalif Abd al-Malik ließ etwa 691 n. Chr. über den heiligen Felsen am ehemaligen Tempelplatz ein oktogonales Heiligtum, den Felsendom, errichten. Die Annahme ist naheliegend, daß die Theotokos-Kirche auf dem Garizim als Vorbild für den Felsendom diente und daß seine Architekten noch Byzantiner gewesen sind. Ferner sollte der Felsendom ein Gegenstück zur christlichen Auferstehungskirche sein; ja noch mehr, die Araber mußten in Jerusalem eine Stelle ausfindig machen, die religionsgeschichtlich über das Christentum hinausgriff. Dazu eignete sich der Platz des früheren jüdischen Tempels ausgezeichnet. So wird dokumentiert, daß der Islam die wahre und echte Fortsetzung der alttestamentlichen Offenbarung sei. In der Architektur übernahmen die Araber das byzantinische Oktogon und den Kuppelbau, um gegenüber der Kuppel der christlichen Auferstehungskirche zu demonstrieren, daß der Islam das Christentum abgelöst habe. Dies wurde noch durch Inschriften in der Kuppel des Felsendomes unterstrichen: Es sind antichristologische Aussagen, die in der Bestreitung der Gottheit Christi gipfeln und Mohammed als letzten und endgültigen Propheten Gottes bekennen. Endgültig islamisiert wurde Jerusalem, als die Tradition von der nächtlichen Himmelfahrt Mohammeds mit seinem Roß Burak am heiligen Stein des Felsendomes lokalisiert wurde.

Unter Kalif al-Walid (705–715 n. Chr.) wurde die al-Aqsa-Moschee an der Südseite des Tempelplatzes erbaut. Kalif Suleimann errichtete für die Provinz »Filistin« eine neue Hauptstadt: Ramla. Die großen Gebäude der Stadt wie Moschee und Minarett wurden erst unter Kalif Hischam

(724−743 n. Chr.) vollendet. Vermutlich erbaute sich schon Hischam bei Jericho eine herrliche Winterresidenz, die jedoch nicht ganz vollendet und durch das Erdbeben des Jahres 746 n. Chr. zerstört wurde.

In der 2. Hälfte des 8. Jhs. n. Chr. kam es zu innerarabischen Kriegen. 750 n. Chr. kam der letzte Omajjaden-Kalif Merwan II. in Ägypten ums Leben. Die Omajjaden wurden von der Dynastie der Abbasiden abgelöst. Da sie ihre Residenz in den Iraq verlegten, verlor Palästina noch mehr als bisher seine politische Bedeutung. Kalif al Mamun restaurierte den Felsendom. Seine Nachfolger stellten die durch Erdbeben verwüstete als-Aqsa-Moschee wieder her. Der auch im Abendland sehr bekannt gewordene Kalif Harun al-Raschid (786−809 n. Chr.) baute 789 in Ramla ein unterirdisches Wasserreservoir (20 mal 20 m), das bis heute in Verwendung ist. Es ist das früheste Beispiel der Anwendung des freistehenden Spitzbogens und eines der frühesten Zeugnisse echter arabischer Architektur.

In der 2. Hälfte des 9. Jhs. n. Chr. machte sich Ahmad ibn Tulun, Statthalter der Abbasiden in Ägypten, selbständig. 877 n. Chr. dehnte er ohne Schwierigkeiten seinen Herrschaftsbereich auf Syrien−Palästina aus. Unter den Tuluniden verblieb Palästina bis 905 n. Chr. Danach kam es kurze Zeit wieder zu Bagdad, bis sich 935 n. Chr. unter Mohammed ibn Tughdsch (935−946 n. Chr.) eine neue, unabhängige Dynastie in Ägypten bildete, die sich nach dem persischen Prinzentitel ihres Gründers »Ichschid« Ichschiden nannte. Im Osten Ägyptens entstand aber inzwischen unter Said ibn al Hussain, der sich von Fatima, der Tochter des Propheten, der Frau Alis, herleitete, eine neue politische Bewegung. Um 909 n. Chr. eignete sich Said den Kalifentitel an, der bisher nur Omajjaden und Abbasiden vorbehalten war, und nahm den messianischen Titel al-Mahdi an. 969 n. Chr. gelang es seinen Nachfolgern, Ägypten endgültig zu erobern und auch Syrien−Palästina zu gewinnen. Unter dieser Dynastie, den Fatimiden, erlebte Palästina einen argen Niedergang. Kalif al Hakim (996−1021 n. Chr.) verordnete die Zerstörung von Kirchen und Synagogen und die Zwangsislamisierung der Bevölkerung. 1008 n. Chr. wurde die Auferstehungskirche in Jerusalem vollkommen zerstört. Nach mühsamen Verhandlungen gelang es dem byzantinischen Kaiser, einen Wiederaufbau der Kirche zu erreichen. Sonst kümmerten sich die Fatimiden kaum um das Land, so daß es praktisch bis an die Küste von Beduinen kontrolliert wurde, die wiederholt gegen die Fatimiden putschten. Die Schwäche der Fatimiden nützten die byzantinischen Kaiser zu einem Angriff. Nikephoros II. (963−969 n. Chr.) eroberte Antiochien und Aleppo, sein Nachfolger Johannes I.

(969–976 n. Chr.) drang bis Cäsarea vor! Diese Aktionen sind gleichsam ein Vorspiel der Kreuzzüge. Die Motivation der byzantinischen Kaiser war primär religiöser Natur: »um am Heiligen Grab beten zu können«.

Um die Mitte des 11. Jhs. n. Chr. trat eine entscheidende Wende ein, als die türkischen Seldschuken 1055 n. Chr. Bagdad eroberten. Der türkische General Atsis marschierte bis Ramla und Jerusalem. Jerusalem wurde gestürmt und seine Bewohner hingemetzelt. 1096 n. Chr. gelang es zwar den Fatimiden, Jerusalem zu entsetzen; aber die Fatimidische Herrschaft dauerte nur knapp zwei Jahre. Am 15. Juli 1099 n. Chr. fiel Jerusalem und kurze Zeit darauf Palästina in die Hände der Kreuzfahrer.

X. Die Kreuzfahrer

(1099–1291 n. Chr.)

Den Kreuzzügen liegt die Idee zugrunde, daß Palästina, vor allem Jerusalem, für die Christen Heiliges Land ist. Schon die seit dem 4. Jh. n. Chr. anhaltenden Pilgerströme aus Europa waren davon erfaßt. Solange Palästina in christlich-byzantinischen Händen war, gab es für die Pilger keine Probleme. Auch die Zeit nach 638 n. Chr., als Palästina von Omajjaden und Abbasiden beherrscht war, gab es für die Christen keine wesentlichen Behinderungen. Die Lage änderte sich erst unter den Fatimiden und dann vor allem unter den Seldschuken nach 1070 n. Chr. Papst Urban II. (1088–1099 n. Chr.) rief daher auf dem Konzil von Clermont-Ferrand zu einem bewaffneten Feldzug zur Befreiung Palästinas von den Ungläubigen auf. Apokalyptische Bewegungen in den europäischen Landen kamen diesem Aufruf zugute. Es formierten sich vorerst plündernde Scharen, die die nahe liegenden jüdischen Gemeinden am Rheinufer ausrotteten. Am Balkan wurde dieses plündernde und mordende »Heer« 1096 n. Chr. vernichtet. Erst jetzt formierte sich ein Ritterheer zum ersten Kreuzzug. Nach siebenmonatiger Belagerung gelang es, Antiochien zu nehmen (1098 n. Chr.). Jerusalem fiel am 15. Juli 1099 n. Chr. Das Blutbad, das die Kreuzfahrer in Jerusalem anrichteten, übertraf wahrscheinlich alle Grausamkeiten, die diese leidgeprüfte Stadt in ihrer Geschichte erleben mußte. Das Blut soll in den engen Gassen knöcheltief gestanden sein.

Gottfried von Bouillon, der Herzog von Niederlothringen, wurde zum Herrscher Jerusalems gewählt (Advocatus Sancti Sepulchri). Nach dem Sieg gingen viele der adeligen Ritter sofort nach Europa zurück. Dies brachte Probleme für eine dauernde Verwaltung mit sich. Doch neuer Kräftezuwachs aus Europa half, dieses Problem vorerst zu lösen. Balduin I. (1100–1118 n. Chr.), der erste abendländische König Jerusalems, sicherte sich zuerst die Küstenstädte Cäsarea, Akko, Beirut, Sidon mit Hilfe italischer Flottenverbände, um den regulären und lebenswichtigen Nachschub aus Europa sicherzustellen. Diese Politik verfolgten auch die Nachfolger Balduins. 1154 n. Chr. wurde Aschkelon, der letzte arabische Hafen, erobert. Andererseits ging daneben die Expansion ins Landesinnere weiter, so daß das Königreich Jerusalem bald ganz Palästina umfaßte. Seine gewaltigen Stützen waren die geistlichen Ritterorden der Johanniter und Templer. Massive Kreuzfahrerburgen sicherten das Land.

Der islamische Widerstand ließ jedoch nicht lange auf sich warten. Schon 1144 n. Chr. gelang die Eroberung des Kreuzfahrerfürstentums Edessa, eine Niederlage, die die Idee der Kreuzzüge psychologisch schwer belastete.

In Europa propagierte der hl. Bernhard von Clairvaux einen neuen Kreuzzug. Dem bereits schwer dezimierten Heer unter Führung Ludwigs VII. (1223 – 1226 n. Chr.) von Frankreich gelang jedoch die Eroberung von Damaskus nicht. Dadurch war eine weitere Expansion der Kreuzfahrer nach Norden endgültig gestoppt. Aber auch eine Expansion nach Süden unter Einschluß Ägyptens mißlang. 1171 wurde Saladin zum Statthalter Ägyptens ernannt. Ihm gelang es bis 1185, die islamischen Kräfte zu vereinigen. 1187 n. Chr. ging Sultan Saladin zum Generalangriff auf Palästina über und eroberte Tiberias. Am 3. und 4. Juli 1187 n. Chr. schlug er das christliche Heer bei Hattin vernichtend. Danach fiel eine christliche Festung nach der anderen. Am 2. Oktober kapitulierte Jerusalem. Die kurze Geschichte des Königreiches Jerusalem war beendet.

Der Schock über den Fall Jerusalems ließ in Europa die Idee eines dritten Kreuzzuges aufkommen. Diesen Kreuzzug leiteten der deutsche Kaiser Friedrich Barbarossa (1152 – 1190 n. Chr.), der König von England, Richard Löwenherz (1189 – 1199 n. Chr.), und der König von Frankreich, Philipp II. (1180 – 1223 n. Chr.). 1191 n. Chr. wurde Akko zurückerobert. Danach gelang es, den Küstenstreifen bis Jaffa und einen Korridor ins Landesinnere bis Lydda und Ramla zu sichern. Jerusalem blieb aber in islamischer Hand. Richard Löwenherz schloß mit Saladin einen Friedensvertrag, der den Status quo anerkannte. Das Territorium dieses zweiten Kreuzfahrerreiches in Palästina war sehr klein, seine Hauptstadt Akko. Nicht zuletzt verhinderte der Tod Saladins im Jahre 1193 n. Chr. ein rasches Ende dieses künstlichen Königreiches.

Das erste Viertel des 13. Jhs. n. Chr. war für das Königreich Akko relativ ruhig. Verschiedene neue Kreuzzüge brachten bis 1204 n. Chr. eine leichte Ausdehnung des Königreiches zustande. Doch die Uneinigkeit zwischen den Kreuzfahrern war sehr groß, der König ein Spielball der Intrigen der adeligen Ritter. Diese Uneinigkeit war für den ohnehin kaum lebensfähigen Staat existenzbedrohend. Weitere Kreuzzüge konnten nur schwache Hoffnungen erwecken. Der von Papst Innozenz III. (1198 – 1216 n. Chr.) organisierte Kreuzzug sollte von Palästina aus eine Invasion Ägyptens einleiten. Damiette fiel zwar nach einjähriger Belagerung 1219 n. Chr., aber den Marsch auf Kairo stoppte Sultan al-Kamil 1221 n. Chr. bei Mansura.

Durch diplomatisches Taktieren gelang es dem deutschen Kaiser Friedrich II. (1215–1250 n. Chr.) und Richard von Cornwall, dem Bruder des englischen Königs Heinrich III. (1216–1272 n. Chr.), Teile Palästinas einschließlich Jerusalems nochmals in christliche Hand zu bringen. Praktisch waren dies jedoch nur Rechte auf dem Papier!

Der französische König Ludwig der Heilige (1226–1270 n. Chr.) versuchte 1248 und 1270 zwei weitere Kreuzzüge. 1249 n. Chr. gelang es zwar, bei Damiette einen Stützpunkt zu errichten, bei Mansura mußte Ludwig jedoch kapitulieren. Seine zweite Expedition kam weder nach Ägypten noch nach Palästina. Mit Ludwig dem Heiligen starb in Europa die Kreuzzugsidee und damit auch der Kreuzfahrerstaat von Akko.

Zerrissen durch innere Auseinandersetzungen und blutige Rivalenkämpfe einzelner Gruppen, nützten die Kreuzfahrer von Akko nicht ihre einzige Überlebenschance eines Bündnisses mit den Mongolen, die den Orient zu dieser Zeit bereits schwer attackierten.

So gelang es den in Ägypten an die Macht gekommenen Mamluken, ehemaligen Sklaven, wie Sultan Baibars (1260–1277 n. Chr.) und seinen Nachfolgern Qualaun (1277–1290 n. Chr.) und al Aschraf, den Kreuzfahrern Stück für Stück Land zu entreißen. Am 18. Mai 1291 n. Chr. stürmte al Aschraf Akko. Die Geschichte der Kreuzfahrer im Heiligen Land war beendet.

XI. Unter Mamluken und Osmanen

(1291–1918 n. Chr.)

Seit 1250 n. Chr. wurde Ägypten von den Mamluken beherrscht. Mamluk war die Bezeichnung für einen freigelassenen Sklaven. Solche Freigelassene dienten im ägyptischen Heer, bis sie schließlich so mächtig wurden, daß sie die Macht an sich reißen konnten. 1260 n. Chr. gelang es ihnen, die mongolische Streitmacht bei Bet Schean vernichtend zu schlagen, und 1291 n. Chr. besiegten sie endgültig die letzten Kreuzfahrer von Akko. Die ersten Mamluken-Sultane kümmerten sich viel um Palästina. Straßen, Brücken und Karawansereien wurden gebaut, so daß die Route von Kairo nach Damaskus durch Palästina wieder benutzbar wurde. 1382 n. Chr. wurden die türkischen Mamluken-Sultane durch tscherkessische Mamluken-Sultane in Ägypten abgelöst. Unter den Mamluken war Palästina in zwei Provinzen unterteilt. Christen und Juden hatten eine relative Freiheit, wenn sie die Kopfsteuer zahlten. Doch ihre Zahl war gering. Diese wenigen waren gesellschaftlich und wirtschaftlich völlig isoliert. Lange Dürreperioden und die Pest von 1348/49 n. Chr. taten ein übriges. Um 1400 n. Chr. fegte ein weiterer Mongolensturm bis nach Damaskus. Die Mamluken wurden geschlagen. Erst durch den plötzlichen Tod des Mongolen-Großkhans Timur im Jahre 1405 n. Chr. wurde die Offensive gestoppt. Das Erstarken der osmanischen Türken in Anatolien brachte jedoch eine neue Bedrohung für Palästina. In Palästina selber war die Lage durch den Einfluß räuberischer Beduinenhorden unerträglich geworden. Kein Reisender konnte sich im Lande ohne ihre Einwilligung frei bewegen. 1484 n. Chr. plünderten die Beduinen Ramla und schlugen bei Gaza ein Mamlukenheer. Die Osmanen hatten 1453 n. Chr. das byzantinische Reich ausgelöscht, und Sultan Selim I. schlug 1516 n. Chr. die Mamluken bei Aleppo vernichtend. Syrien–Palästina kam unter osmanische Herrschaft und sollte es bis zum Jahre 1917 bleiben.

Mit dem Sieg der Osmanen über Byzanz und über die Mamluken wurden die Osmanen zur einzigen Kraft im Orient und für lange Zeit der gefährlichste Gegner des christlichen Europa. Palästina wurde Teil der Provinz Syrien und in fünf Bezirke unterteilt: Gaza, Jerusalem, Nablus, Laddschun und Safed. Unter den ersten osmanischen Sultanen erlangte Palästina als Zentrum der drei monotheistischen Religionen und als Durchgangsland von Syrien nach Ägypten wieder mehr Bedeutung. Sultan Suleiman der Prächtige ließ z. B. die Stadtmauern Jerusalems mit ihren Toren neu errichten. Diese Mauern umgeben die Altstadt Jerusalems bis heute.

Doch die Kämpfe des Osmanischen Reiches mit Europa und Persien während rund 200 Jahren machten eine straffe Organisation in Palästina unmöglich. Im 18. und 19. Jh. n. Chr. wurde das Osmanische Reich durch den europäischen Druck, vor allem Rußlands, zur Defensive gezwungen. Vielfach bestand die osmanische Herrschaft über Palästina nur formell, und es wurde eigentlich von einheimischen Beduinenfamilien beherrscht und tyrannisiert. Die Osmanen führten in Palästina u. a. auch wieder Volkszählungen durch. Um die Mitte des 16. Jhs. n. Chr. hatte Palästina 300000 Einwohner, 90 Prozent davon waren Moslems (darunter die meisten Sunniten), der Rest Christen und Juden. Die jüdische Bevölkerung, die z. B. am Anfang des 19. Jhs. nur 2000 Menschen in Jerusalem zählte, wuchs bis Ende des 19. Jhs. in Jerusalem auf ca. 28000 an. Neben Jerusalem waren Tiberias und Safed die wichtigsten jüdischen Zentren. Bedeutendster Hafen und Handelszentrum war Akko. Ende des 18. Jhs. baute in Akko der berüchtigte Statthalter Dschazzar die große Moschee.

1799 belagerte Napoleon das gut befestigte Akko vergeblich. 1798 war es ihm zwar gelungen, Ägypten zu besetzen, seine Flotte wurde jedoch bei Alexandria durch den britischen Admiral Nelson vernichtet. Unbeirrbar ging Napoleon jedoch zur Eroberung Palästinas und Syriens über: er nahm die alte via maris bis Gaza. Dann nahm er Lod, Ramla, Jaffa und Haifa. Doch Akko trotzte ihm. Napoleon hatte sich auch erhofft, daß ihn die Christen Palästinas kräftig unterstützen würden. Dies blieb jedoch nur ein Wunschtraum.

Der ägyptische Herrscher Mohammed Ali dehnte für die Jahre 1832–1841 seine Macht auf Palästina und Syrien aus, wurde jedoch von den europäischen Großmächten Rußland, Österreich und Preußen zur Aufgabe gezwungen. Unterstützt wurde die Forderung der Großmächte durch starke Flottenverbände, die nach einem Artillerieangriff Akko in drei Stunden (!) zur Kapitulation zwangen.

Gegen Ende des 19. Jhs. sah das Osmanische Reich in Deutschland und Österreich eine Stütze. Der deutsche Einfluß führte nicht nur zum Besuch Kaiser Wilhelms II. im Jahre 1898 in Palästina, sondern auch zur Stärkung der Christen Jerusalems. Kaiser Wilhelm ließ für die Katholiken die Dormitio-Abtei und für die Protestanten die Erlöserkirche erbauen. In Jerusalem, Jaffa und Haifa entstanden deutsche Kolonien.

Das Osmanische Reich wurde 1914 mit Ausbruch des Ersten Weltkrieges Verbündeter Österreichs und Deutschlands. Die Briten dagegen saßen seit 1882 in Ägypten. Am 20. August 1917 gelang es dem britischen General Allenby, die osmanische Front in Palästina zu durchbrechen, am 31. Oktober eroberten die Briten Beerscheba und siegten im 8. und 9. Dezember 1917 westlich von Jerusalem. Bis zum September 1918 war ganz Palästina in britischer Hand.

XII. Die britische Mandatszeit und die Gründung des Staates Israel

In der zweiten Hälfte des vorigen Jahrhunderts sah Palästina einen großen Strom zuwandernder Juden aus Europa. Sie kauften Land und begannen es zu bewirtschaften. Petach Tiqva war 1878 die erste Landwirtschaftssiedlung.

Durch die Ideen des Wiener Juden Theodor Hertzl rückte die Gründung eines jüdischen Staates in Palästina in nahe Zukunft. Der Führer der zionistischen Bewegung Chaim Weizmann konnte die Briten für diese Idee gewinnen. Mit der Balfour-Deklaration vom 2. November 1917 wurde von der britischen Regierung die Schaffung einer jüdischen Heimstätte in Palästina unterstützt, jedoch auch auf die Rechte der einheimischen nicht-jüdischen Bevölkerung hingewiesen.

Mit Ende 1918 übernahm Großbritannien Palästina als Mandatsgebiet des Völkerbundes. Ziel der Briten sollte es sein, die in der Balfour-Deklaration grundgelegten Prinzipien schrittweise zu verwirklichen. Die Briten verwalteten Palästina nach Jahrhunderte andauerndem Chaos korrekt und legten den Grundstein für die später auf diesem Territorium entstandenen Staaten Israel und Jordanien.

Die grundsätzlich projüdische Politik der Briten rief immer mehr den Widerstand der Araber hervor. Durch die positive Einstellung der Briten zur jüdischen Einwanderung wurde in den zwanziger Jahren eine Verdoppelung der jüdischen Bevölkerung erreicht. Der Zustrom hielt weiter an. Es entstanden zahlreiche Siedlungen und die jüdische Bevölkerung war in Palästina seit Jahrhunderten wieder ein politischer Faktor geworden. Der arabische Druck wurde jedoch von 1936–1939 so stark, daß die Briten ihre Politik änderten. Es entstand die Idee, in Palästina zwei unabhängige Staaten zu gründen, einen jüdischen (Galiläa und Küste) und einen arabischen (restliche Gebiete plus Ostjordanland). Jerusalem selber sollte unter britischer Verwaltung bleiben. Die Juden stimmten dem Plan zwar zu, nicht aber die Araber! 1939 gaben jedoch die Briten diesen Plan auf und beschränkten drastisch neue jüdische Zuwanderungen, gerade zu einer Zeit, wo die Juden Europas vor der größten Katastrophe ihrer gesamten Geschichte standen und eine Möglichkeit nach Palästina auszuwandern für unendlich viele lebensrettend gewesen wäre! Als die Zustände im Nazi-Deutschland und seinen Einflußgebieten für die Juden immer unerträglicher wurden und die Kunde von Massenvernichtungen bis Palästina drang, sagten die Juden Palästinas der unmenschlichen und unmoralisch handelnden britischen Regierung den Kampf an.

Letztlich sahen die Briten keine andere Lösung mehr, als das Mandat über Palästina zurückzulegen und das Problem Palästina zur Entscheidung an die neu entstandene UNO zu schieben, wohl mit dem Hintergedanken, in Palästina nur einen, und zwar einen arabischen Staat durchzusetzen, um die britischen Interessen in der arabischen Welt nicht zu gefährden. Doch gegen Großbritannien, mit Unterstützung der damaligen UdSSR und der USA, verabschiedete die UNO am 29. November 1947 den Plan, Palästina in einen arabischen und einen jüdischen Staat zu teilen. Jerusalem sollte internationale Enklave werden. Der Plan wurde von den Juden akzeptiert, von den Arabern abgelehnt. Am 15. Mai 1948 zog Großbritannien seine letzten Truppen aus Palästina ab und überließ Palästina seinem Schicksal, besonders aber die 650 000 Juden. Einen Tag davor hatte bereits David Ben-Gurion die Unabhängigkeitserklärung des Staates Israel unterzeichnet. Daß dieses von Ben-Gurion und seinen Mitarbeitern unterzeichnete »Papier« Wirklichkeit werden konnte, und damit ein freies und unabhängiges Israel, war primär der Hagana, der jüdischen Untergrundstreitmacht und anderen Organisationen, in denen alle wehrfähigen Frauen und Männer erfaßt waren, zu verdanken. Hätten die Juden Palästinas diese Armee nicht gehabt, dann wären sie von den Arabern hingeschlachtet worden wie wehrlose Tiere! Azzam Pascha, Generalsekretär der arabischen Liga, erklärte z. B. am 15. Mai 1948 in Kairo, nachdem die arabischen Armeen bereits in Palästina eingefallen waren: »Dies wird ein Ausrottungskrieg werden und gewaltiges Massaker, von dem man sprechen wird wie von den Massakern der Mongolen und Kreuzfahrer.«

Der junge Staat Israel konnte im großen und ganzen erfolgreich die Invasoren zurückschlagen. Sein Staatsgebiet umfaßte nach dem Waffenstillstand von Rhodos aus dem Jahre 1949 etwa das Gebiet, das ihm nach dem UNO-Plan von 1947 hätte zufallen sollen (Abb. 58). Die restlichen Gebiete wurden dem schon seit 1946 im Ostjordanland existierenden Haschemitischen-Königreich Jordanien unterstellt, dann aber von Jordanien in sein Staatsgebiet eingegliedert.

Aus diesem Territorium des Staates Israel sind ca. 500 000–800 000 palästinensische Araber in die arabischen Nachbarstaaten geflohen. Daß diese Menschen ihre Heimat verloren haben, ist tragisch und ein unerhörtes Unrecht. Ihr Recht auf die Heimat muß genauso berücksichtigt werden wie das Recht der Juden auf ihr Land.

178

*Abb. 58 Israel und seine Nachbarstaaten nach dem Waffenstillstand
von Rhodos 1949 n. Chr.*

179

Der »Kampf« um Palästina kann letztlich und dauernd nicht mit Gewalt und Terror gelöst werden, sondern in gegenseitiger Achtung, Toleranz und ehrlichen Verhandlungen. Wie heißt es doch in der Mischna: »Auf drei Dingen steht die Welt: auf Gerechtigkeit, Wahrheit und Frieden.«

Abkürzungen

ANEP J.B. Pritchard, The Ancient Near East in Pictures relating to the Old Testament, Princeton ²1969.

ANET J.B. Pritchard, Ancient Near Eastern Texts relating to the Old Testament, Princeton ³1969.

AOB H. Greßmann, Altorientalische Bilder zum Alten Testament, Berlin – Leipzig ²1927.

AOT H. Greßmann, Altorientalische Texte zum Alten Testament, Berlin – Leipzig ²1927.

AV Archäologische Veröffentlichungen

BA The Biblical Archaeologist.

TGI K. Galling, Textbuch zur Geschichte Israels, Tübingen ²1968.

Urk Urkunden des ägyptischen Altertums.

ZDPV Zeitschrift des Deutschen Palästina-Vereins.

LITERATUR

*Aharoni Y., The Land of the Bible, A Historical Geography, London 1967.

*Aharoni Y./Avi-Yonah M., Macmillan Bible Atlas, New York 1968.

*Aharoni Y., The Archaeology of the Land of Israel, Philadelphia 1978.

Aistleitner J., Die mythologischen und kultischen Texte aus Ras Schamra, Bibliotheca Orientalis Hungarica 8, Budapest ²1964.

*Anati E., Palestine before the Hebrews, New York 1963.

Anbar M., Les tribus amurrites de Mari, Orbis Biblicus et Orientalis 108, Freiburg/Schweiz−Göttingen 1991.

*Avi-Yonah M. (Hrg.), Geschichte des Heiligen Landes, Jerusalem 1969.

*Ben-Sasson H. H. (Hrg.), Geschichte des jüdischen Volkes I, München 1978.

*Bright J., A History of Israel, The Old Testament Library, London ²1972.

*Conzelmann H., Geschichte des Urchristentums, Göttingen 1971.

*Donner H., Einführung in die biblische Landes- und Altertumskunde, Darmstadt 1976.

*Fohrer G., Geschichte der israelitischen Religion, Berlin 1969.

*Fohrer G., Geschichte Israels. Von den Anfängen bis zur Gegenwart, Heidelberg 1977.

Gerstenblith P., The Levant at the Beginning of the Middle Bronze Age, Diss.Series 5, American Schools of Oriental Research, Winona Lake 1983.

Gese H., Die Religionen Altsyriens, Die Religionen der Menschheit 10,2, Stuttgart − Mainz − Berlin − Köln 1970, 1−232.

*Gunneweg A. H. J., Geschichte Israels bis Bar Kochba, Stuttgart 1972.

Haag H. (Hrg.), Bibel-Lexikon, Einsiedeln ²1968.

*Haag H., Das Land der Bibel, Gestalt, Geschichte, Erforschung, Aschaffenburg 1976.

* = Literatur, die sich primär für ein Weiterstudium eignet

Helck W., Die Beziehungen Ägyptens zu Vorderasien im 3. und 2. Jahrtausend vor Christus, Ägyptologische Abhandlungen 5, Wiesbaden ²1971.

*Herrmann S., Geschichte Israels in alttestamentlicher Zeit, München 1973.

Jaroš-Deckert B., Das Grab des Inj-jtj.f, Die Wandmalereien der XI. Dynastie, AV12, Mainz 1984.

Jaroš K., Sichem, Eine archäologische und religionsgeschichtliche Studie mit besonderer Berücksichtigung von Jos 24, Orbis Biblicus et Orientalis 11, Freiburg/Schweiz − Göttingen 1976.

Jaroš K./Deckert B., Studien zur Sichem-Area, Orbis Biblicus et Orientalis 11a, Freiburg/Schweiz − Göttingen 1977.

*Jaroš K./Swedik G./Leimlehner M., Ägypten und Vorderasien, Eine kleine Chronographie bis zum Auftreten Alexander des Großen, Linz − Passau − Wien und Stuttgart 1976.

*Jaroš K., Geschichte und Vermächtnis des Königreichs Israel von 926 bis 722 v. Chr., Europäische Hochschulschriften XXIII/136, Bern − Frankfurt − Las Vegas 1979.

Jaroš K., Palästina und Sinaihalbinsel, Archiv für Orientforschung 27 (1980) 192−280.

*Jaroš K., Hundert Inschriften aus Kanaan und Israel, Für den Hebräischunterricht bearbeitet, Fribourg 1982.

*Jepsen A., Von Sinuhe bis Nebukadnezar, Dokumente aus der Umwelt des Alten Testaments, Stuttgart − Münschen 1975.

Josephus, Complete Works, übersetzt von W. Whiston, Grand Rapids, Michigan 1974.

*Keel O./Küchler M., Orte und Landschaften der Bibel, Ein Handbuch und Studienreiseführer zum Heiligen Land, Band 2: Der Süden, Einsiedeln − Göttingen 1982.

Keel O., Die Welt der altorientalischen Bildsymbolik und das Alte Testament, Am Beispiel der Pslamen, Zürich − Einsiedeln − Köln und Neukirchen − Vluyn ²1977.

*Kellermann M./Medala St. u. a., Welt aus der die Bibel kommt. Biblische Basisbücher 2, Kevelaer − Stuttgart 1982.

Kempinski A., Syrien und Palästina in der letzten Phase der Mittelbronze II B-Zeit (1650−1570 v. Chr.), Ägypten und Altes Testament 4, Wiesbaden 1983.

*Kenyon K.M. Archäologie im Heiligen Land, Neukirchen − Vluyn 1967.

Knudtzon J. A., Die El-Amarna-Tafeln, 2 Bände, 1915, Neudruck Aalen 1964.

*Lemaire A., Histoire du peuple hébreu, Paris 1981.

*Lindner M. (Hrg.), Petra und das Königreich der Nabatäer, München ²1974.

Luckenbill D. D., Ancient Records of Assyria and Babylonia II, New York ²1975 (Neudruck).

Mazar B. (Hrg.), The World History of the Jewish People, First Series: Ancient Times, bisher erschienen die Bände II−VIII, Jerusalem 1970−1979.

*Metzger M., Grundriß der Geschichte Israels, Neukirchen − Vluyn ⁴1977.

*Noth M., Geschichte Israels, Göttingen ⁷1969.

*Ohler A., Israel, Volk und Land, Stuttgart 1979.

*Otto E., Jerusalem, Die Geschichte der Heiligen Stadt, Von den Anfängen bis zur Kreuzfahrerzeit, Urban Taschenbuch 308, Stuttgart − Berlin − Köln − Mainz 1980.

Paul S. M./Dever W. G., Biblical Archaeology, Jerusalem 1973.

Sass B., Studia Alphabetica, Orbis Biblicus et Orientalis 102, Freiburg/Schweiz−Göttingen 1991.

*Schubert K., Jesus im Lichte der Religionsgeschichte des Judentums, Wien 1973.

Staubli Th., Das Image der Nomaden im Alten Israel und in der Ikonographie seiner seßhaften Nachbarn, Orbis Biblicus et Orientalis 107, Freiburg/Schweiz−Göttingen 1991.

*Stemberger G., Das klassische Judentum, Kultur und Geschichte der rabbinischen Zeit, München 1979.

*Vaux, R. de, Die hebräischen Patriarchen und die modernen Entdeckungen, Leipzig 1960.

Vaux R. de, Histoire ancienne d'Israel I−II, Paris 1971, 1973.

Weippert H., Palästina in vorhellenistischer Zeit, Handbuch der Archäologie, Vorderasien II, Band 1, München 1988.

KULTURGESCHICHTE DER ANTIKEN WELT

VERLAG PHILIPP VON ZABERN · MAINZ

KULTURGESCHICHTE DER ANTIKEN WELT

VERLAG PHILIPP VON ZABERN · MAINZ

KULTURGESCHICHTE DER ANTIKEN WELT

VERLAG PHILIPP VON ZABERN · MAINZ

KULTURGESCHICHTE DER ANTIKEN WELT

VERLAG PHILIPP VON ZABERN · MAINZ